Manque de temps?

Envie de réussir?

Besoin d'aide?

La solution

Le *Compagnon Web*:
www.erpi.com/chenier.cw

Il contient des outils en ligne qui vous permettront de tester ou d'approfondir vos connaissances.

✔ **Pour chaque chapitre, deux minitests interactifs qui portent sur les contextes historique et littéraire et qui vous permettent d'évaluer ce que vous avez retenu de votre lecture.**

ENSEIGNANTS, vous avez accès aux outils suivants:

✔ Une série de questions sur le contexte historique, avec corrigé;
✔ Une série de questions sur le contexte littéraire, avec corrigé;
✔ Une série de questions pour chaque extrait littéraire présenté dans l'ouvrage, avec corrigé;
✔ Une série de questions sur un extrait d'œuvre de la littérature mondiale, avec corrigé;
✔ Une présentation PowerPoint comportant l'analyse d'un extrait de l'ouvrage.

Comment accéder
au Compagnon Web de votre manuel?

Étudiants

Étape 1: Allez à l'adresse www.erpi.com/chenier.cw
Étape 2: Lorsqu'ils seront demandés, entrez le nom d'usager et le mot de passe ci-dessous:

Nom d'usager

Mot de passe

Étape 3: Suivez les instructions à l'écran
Assistance technique: tech@erpi.com

Enseignants

Veuillez communiquer avec votre représentant pour obtenir un mot de passe.

ERPI

20382W

JEAN-FRANÇOIS CHÉNIER

ANTHOLOGIE DE LA LITTÉRATURE

DU MOYEN ÂGE À 1850

JEAN-FRANÇOIS CHÉNIER

ANTHOLOGIE DE LA LITTÉRATURE
DU MOYEN ÂGE À 1850

ÉDITIONS DU RENOUVEAU PÉDAGOGIQUE INC.

5757, RUE CYPIHOT, SAINT-LAURENT (QUÉBEC)   H4S 1R3
TÉLÉPHONE : (514) 334-2690   TÉLÉCOPIEUR : (514) 334-4720
erpidlm@erpi.com   www.erpi.com

Développement de produits
Pierre Desautels

Supervision éditoriale
Jacqueline Leroux

Révision linguistique
Claire St-Onge

Correction d'épreuves
Carole Laperrière

Recherche iconographique
Chantal Bordeleau

Direction artistique
Hélène Cousineau

Coordination de la production
Muriel Normand

Conception graphique
Martin Tremblay

Édition électronique
Infoscan Collette, Québec

Photographie de la couverture
Léonard de Vinci (1452-1519). *La dame à l'hermine* (1483-1490).
Musée Czartoryski, Cracovie, Pologne.

Dépôt légal :
Bibliothèque et Archives nationales du Québec, 2007
Bibliothèque nationale et Archives Canada, 2007
Imprimé au Canada

ISBN : 978-2-7613-1923-2

34567890   LIC   13 12 11 10 09
20382   ABCD   GUS12

Avant-propos

S'initier à la littérature française, c'est découvrir un aperçu de son histoire, de ses moments forts, de ses innovations et de ses inspirations. Ainsi, à travers la description de l'évolution de la culture et des croyances, cet ouvrage propose une synthèse de la période qui a vu la langue française émerger du latin jusqu'à son épanouissement romantique. Son intérêt est double : on y a regroupé les extraits phares de la littérature tout en laissant aux professeurs la liberté de les aborder sous l'angle qui leur convient.

Pour présenter la littérature qui s'est épanouie entre le Moyen Âge et 1850, nous recherchions en outre un outil succinct, car nous voulions éviter l'écueil traditionnel des anthologies : leur ampleur. Celle-ci est souvent telle qu'on en n'utilise malheureusement qu'une infime partie. Ce choix de la brièveté s'est fait sans compromis quant à la qualité, à la clarté et à la précision du propos, et sans rogner sur le volet iconographique qui distingue toute anthologie.

Par ces décisions novatrices, nous espérons avoir créé ce type d'ouvrage que les élèves consultent avec plaisir, voire avec enthousiasme.

Remerciements

Je tiens à remercier tous ceux et toutes celles qui ont contribué à me rendre le travail agréable, à commencer par l'équipe des Éditions du Renouveau Pédagogique, en particulier Claire St-Onge, Jacqueline Leroux et Pierre Desautels, qui m'ont encouragé tout au long de la rédaction, et dont les conseils judicieux m'ont grandement aidé. Je suis aussi très reconnaissant envers Marc Simard, professeur d'histoire au Collège François-Xavier-Garneau, pour ses commentaires sur tous les aspects sociohistoriques de l'anthologie, et Annie-Claude Banville, professeure d'histoire de l'art au Collège Marie-Victorin, pour ses recommandations iconographiques. Je tiens à exprimer ma gratitude envers tous les consultants et lecteurs des différents chapitres, au nombre desquels mes collègues du département de français du Collège Ahuntsic – Louis Bilodeau et Lucie Libersan – et les personnes suivantes : Francine Pépin (Cégep de Drummondville), Hubert Cotton (Cégep de Saint-Jérôme), Jacques Lecavalier (Collège de Valleyfield), Jean Bélanger (Cégep du Vieux Montréal), Jean-François Vallée (Collège de Maisonneuve), Johanne Charbonneau (Cégep Marie-Victorin), Louis Robitaille (Cégep de Saint-Jérôme), Nathalie Ste-Marie (Collège de Bois-de-Boulogne), Olivier Sénécal (Cégep régional de Lanaudière à L'Assomption), Robert Houle (Cégep de Sainte-Foy), Solange Bergeron (Cégep de La Pocatière), Stéphane X. Amyot (Cégep Marie-Victorin).

Concernant le Compagnon Web destiné aux enseignants, je tiens à souligner l'excellent travail de Philippe Labarre (Collège Ahuntsic), qui a rédigé les questions sur la Renaissance et le Grand Siècle, et de Marie-Élaine Mineau (Collège de Valleyfield), qui a rédigé les questions sur le siècle des Lumières et le romantisme.

Jean-François Chénier

Table des matières

Chapitre $\boxed{1}$

Le Moyen Âge

Ambrogio Lorenzetti
(v. 1293-v. 1348).
*Allégorie du « Bon
gouvernement » –
Détail : personnification
de la « Justice »* (1338).
Palazzo Pubblico,
Sienne, Italie.

Le Moyen Âge au fil du temps

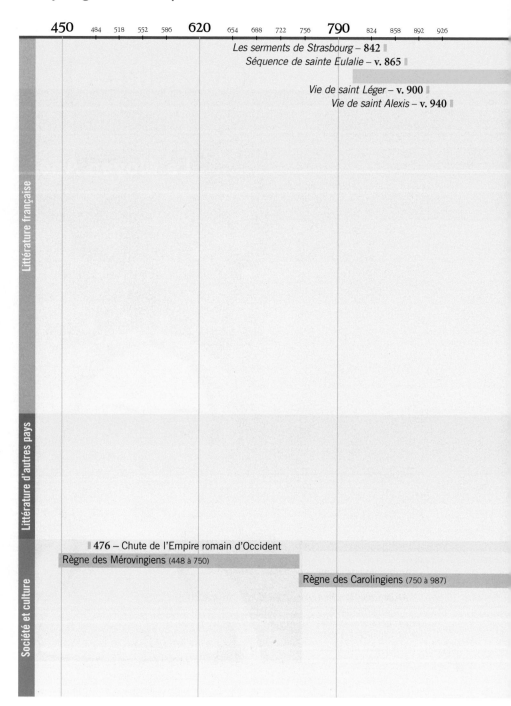

| 450 | 484 | 518 | 552 | 586 | 620 | 654 | 688 | 722 | 756 | 790 | 824 | 858 | 892 | 926 |

Littérature française

Les serments de Strasbourg – **842**
Séquence de sainte Eulalie – **v. 865**

Vie de saint Léger – **v. 900**
Vie de saint Alexis – **v. 940**

Littérature d'autres pays

Société et culture

476 – Chute de l'Empire romain d'Occident
Règne des Mérovingiens (448 à 750)

Règne des Carolingiens (750 à 987)

| 960 | 994 | 1028 | 1062 | 1096 | 1130 | 1164 | 1198 | 1232 | 1266 | 1300 | 1334 | 1368 | 1402 | 1436 | 1470 |

Ancien français en vigueur (800 à 1299)

Guillaume IX, duc d'Aquitaine (1071-1127)

1099 – *Chanson de Roland*

Béroul – *Tristan* – v. 1160

Thomas d'Angleterre – *Tristan* – v. 1175

1174-1177 – *Roman de Renart*
(la branche la plus ancienne)

Chrétien de Troyes (v. 1135-v. 1183)

Yvain ou Le chevalier au lion – v. 1178-1181

Guillaume de Lorris (v. 1200-v. 1238)

Roman de la rose – 1237

Rutebeuf (?-1290)

Complainte de Rutebeuf – v. 1262

Jean de Meun (v. 1240-v. 1305)

v. 1268-1285 – *Roman de la rose* (suite)

Moyen français en vigueur
(1300 à 1599)

Christine de
Pisan (1364-v. 1430)

Épître au dieu d'amour – 1399

Dit de la rose – 1402

Farce de maître Pathelin – 1461-1469

François Villon (1431-après 1463)

L'épitaphe Villon (Ballade des pendus) – v. 1461-1462

v. 1225 – *Carmina burana*

Marco Polo (1254-1324)

Livre des merveilles du monde – v. 1298

Dante Alighieri (1265-1321)

La divine comédie – 1306-1321

Pétrarque (1304-1374)

Canzoniere – 1335

Boccace (1313-1375)

Décaméron – v. 1343-1353

Règne des Capétiens (987 à 1328)

Croisades (1095 à 1270)

Guerre de Cent Ans (1337 à 1453)

Épidémie de peste – 1347-1348

Invention de l'imprimerie par Gutenberg – 1438-1450

Chute de l'Empire romain d'Orient – 1453

Arrivée de Christophe Colomb en Amérique – 1492

LE CONTEXTE SOCIOHISTORIQUE (476 À 1453)

Pour organiser le monde et l'interpréter, les historiens jugent plus commode de diviser la trame chronologique en époques, ou périodes. Cependant, si la plupart d'entre eux s'entendent pour dire que la chute de l'Empire romain d'Occident (476) marque le début du Moyen Âge, en dater la fin s'avère plus problématique. Alors que certains historiens font coïncider celle-ci avec l'invention de l'imprimerie par Gutenberg (1438 à 1450), d'autres l'associent à l'arrivée de Christophe Colomb en Amérique (1492). La chute de l'Empire romain d'Orient (1453) est considérée ici comme le point de démarcation entre le Moyen Âge et la Renaissance.

Au cours de la période qui s'étend du Vᵉ au XIVᵉ siècle, plusieurs dynasties se succéderont: les Mérovingiens (448 à 750 environ), qui instaurent la *vassalité*[1], et dont le premier roi, Clovis, se convertira au catholicisme; les Carolingiens (750 à 987), dont le fondateur, Charlemagne[2], étend considérablement les limites du royaume des Francs; enfin, les Capétiens (987 à 1328), première lignée à diriger le nouveau royaume de France[3]. Sous le règne des Capétiens, la France voit la consolidation du système féodal, l'établissement du principe d'hérédité du pouvoir royal et l'amorce des croisades. Ces croisades (1095 à 1270) auront une grande influence sur l'histoire littéraire. Les poètes ne trouveront pas dans la brutalité et la violence qui s'y rattachent des sujets de récit; mais cette guerre religieuse qui s'étend sur près de deux siècles permet de ramener et de diffuser en Europe certains progrès techniques, notamment une façon plus économique de fabriquer le papier, qui permettra dès le XIᵉ siècle d'immortaliser sur ce support plusieurs œuvres issues d'une tradition orale. Parmi les autres innovations techniques, citons l'algèbre, l'astrolabe et la boussole; on peut également mentionner les épices, qui révolutionnent l'alimentation en modifiant le goût de la viande avariée, ce qui s'avère très utile à cette époque. C'est justement la recherche des épices qui poussera plus tard Christophe Colomb sur les mers et qui l'amènera à découvrir l'Amérique…

Enluminure flamande (XVᵉ siècle). *Siège de Damas par les Croisés, 1148* (1480). British Library, Londres, Royaume-Uni.

---

1. Condition de dépendance d'un homme, le vassal, envers son seigneur.
2. Charlemagne favorise aussi l'éducation. L'activité de recopiage de manuscrits qui découle de cette politique va notamment stimuler le domaine artistique.
3. Jusqu'aux Capétiens, les rois régnaient sur le royaume des Francs, qui inclut les Belges, les Néerlandais et les Allemands.

Enluminure française (XIVᵉ siècle). *Bataille de Crécy, 26 août 1346* (1350). British Library, Londres, Royaume-Uni.

Dans le même temps, l'Église réussit à asseoir son pouvoir en s'associant de plus en plus étroitement avec les monarques. Ce pouvoir sur les âmes s'étend progressivement aux individus et se manifeste éloquemment par l'*Inquisition*[1].

Par ailleurs, les croisades entreprises à la fin du XIᵉ siècle vont peu à peu ruiner la France. À cette situation économique désastreuse vient s'ajouter, en 1347 et 1348, une terrible épidémie de peste qui causera la mort de 40 millions de personnes en Europe, soit le tiers de la population. Ce contexte pour le moins défavorable est aggravé par une querelle de succession au trône de France entre les prétendants français et anglais. Cette querelle est à l'origine de la guerre de Cent Ans, qui va durer de 1337 à 1453.

LA CULTURE ET LES CROYANCES AU MOYEN ÂGE

Époque décisive pour la France, tant par sa durée que par les enjeux culturels en cause, le Moyen Âge a souvent été boudé par les générations qui ont suivi. Considéré à tort, au moment de la Renaissance, comme une période archaïque et sombre, le Moyen Âge gagne à être redécouvert. Sur le plan social, on assiste à cette époque à la mise en place de la féodalité, aux débuts de la chevalerie et de la vie à la cour. Sur le plan culturel, le Moyen Âge se caractérise par des croyances bien enracinées; il voit aussi se développer la langue française et inaugure une nouvelle ère de divertissements populaires.

LA SOCIÉTÉ

Le territoire de la France médiévale est riche et convoité. Il subit nombre d'invasions, de massacres et de pillages. Devant cette constante insécurité, les gens quittent les villes pour aller trouver protection auprès des seigneurs, qui possèdent des châteaux fortifiés. Dans cette organisation sociale constituée d'un ensemble de fiefs et de seigneuries qu'on a appelée société féodale, l'économie est essentiellement agricole. Les paysans paient des taxes et des redevances à leur seigneur et lui donnent une partie de leur récolte en échange de sa protection. Pour garantir cette protection,

---

1. Il s'agit avant tout d'un tribunal ecclésiastique dont l'objet est la répression des hérésies, souvent importées en Occident par les chevaliers de retour des croisades.

le seigneur réunit autour de lui des chevaliers, c'est-à-dire des mercenaires ou des guerriers pourvus de montures, et leur donne un fief (une terre). Le chevalier devient alors le vassal d'un seigneur à qui il doit obéissance et loyauté. Au fil du temps, plusieurs règles, ou vertus, vont définir cette nouvelle institution qu'est la chevalerie : la *prouesse* (le chevalier doit démontrer son adresse militaire, sa bravoure et son courage) ; la *loyauté* (il doit tenir parole et respecter ses engagements envers son seigneur, Dieu et – plus tard – envers sa dame) ; la *piété* (il a aussi pour mission de sauvegarder la chrétienté) ; et la *largesse* (il doit faire preuve d'une générosité exemplaire). En outre, à partir du XIIᵉ siècle, le chevalier doit se soumettre à un code d'usages raffinés appelé *courtoisie*. Enfin, dans la société féodale, il n'est pas rare de voir un seigneur devenir le vassal d'un autre seigneur plus puissant. Il arrive même que le pouvoir de certains seigneurs rivalise avec celui du roi qui, lui, gouverne l'ensemble du territoire.

Les frères Limbourg (v. 1370-1416).
Les très riches heures du duc de Berry : le mois de septembre (v. 1416).
Musée de Condé, Chantilly, France.

LES CROYANCES

Au Moyen Âge, les textes sont interprétés littéralement, c'est-à-dire que les mots ne renferment pas de signification autre que leur sens propre. Par conséquent, toute allégorie ou tout symbolisme est accidentel et doit être perçu comme une révélation divine. Au centre de ce style que l'on peut qualifier de minimaliste se trouve un système de correspondances fondé sur la théorie des humeurs, les éléments (feu, eau, terre, air) et la conception de l'univers.

ENCADRÉ

DOCUMENTAIRE

La théorie des humeurs

Dans les premiers temps de la littérature, les auteurs caractérisaient leurs personnages en les dotant d'une humeur en particulier ou de l'un ou l'autre des quatre tempéraments résumés dans la figure ci-contre.

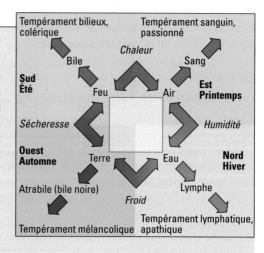

Par ailleurs, la société médiévale croit que la Terre est plate et qu'elle forme un carré dont le centre géographique est Jérusalem. En tant que lieu de mort du Christ, Jérusalem constitue le plus important centre spirituel de la communauté chrétienne de l'époque. Plusieurs itinéraires spirituels existent déjà, tels ceux de Compostelle, de Rome ou de Palestine. Il n'est pas rare de voir se mêler, au cours de ces pèlerinages, des croyants de différentes religions ; souvent des échanges commerciaux s'ensuivent. Et comme l'Europe est pauvre en métaux, on ne tarde pas à y importer de l'or et de l'argent en provenance des terres de l'islam et de l'Empire byzantin[1]. Ces pèlerinages et échanges cosmopolites s'effectuent dans une relative quiétude. Cependant, au XIIe siècle en France, l'institution de l'hérédité du pouvoir royal provoque une période d'instabilité au sein du royaume. La transmission du pouvoir royal de père en fils attise la rancœur des seigneurs qui contestent l'autorité du roi. Cette instabilité s'accroît en raison d'une importante crise économique – conséquence de plusieurs années consécutives de mauvaises récoltes –, et la population crie famine. De son côté, l'Église cherche à consolider le pouvoir du roi, son allié, en créant une diversion, et parvient à rassembler les différents opposants dans un but commun : débarrasser la Terre sainte des musulmans. Pour arriver à ses fins, elle lance un appel à la défense de la foi chrétienne menacée par les Turcs qui ont pris Jérusalem, affirmant que ceux-ci interdisent désormais l'accès des pèlerins chrétiens à la Terre sainte. En outre, les prêtres n'hésitent pas à faire miroiter dans leurs sermons les richesses du monde musulman ou à décrier ses mœurs jugées douteuses.

Vers la seconde moitié du XIIe siècle apparaît l'architecture gothique, caractérisée entre autres par la luminosité (grâce aux nombreuses fenêtres) et une plus grande élévation verticale de la structure, ce qui permet d'augmenter la taille des édifices pour qu'un plus grand nombre de personnes puisse y entrer. La cathédrale Notre-Dame de Paris, dont la construction a duré de 1163 à 1245, en est un parfait modèle.

LES ORIGINES DE LA LANGUE FRANÇAISE

Au Ve siècle, la Gaule, qui deviendra plus tard la France, est une province de l'Empire romain d'Occident. Les Gaulois délaissent peu à peu leur langue celtique pour communiquer en latin, la langue officielle de l'administration, de la justice et de la religion, un statut que le latin va conserver jusqu'au XVIe siècle. Toutefois, le latin des Gaulois n'est pas le latin classique de l'aristocratie romaine. Au fil du temps, ceux-ci déforment le vocabulaire et la structure du latin, auquel ils ajoutent des mots et des sons de leur propre langue.

---

1. Il s'agit de l'autre nom de l'Empire romain d'Orient, dont la capitale est Constantinople.

Après la chute de l'Empire romain (476), la Gaule est partagée entre les tribus germaniques victorieuses : les Wisigoths, les Burgondes et les Francs, ces derniers dominant la partie nord, qui deviendra plus tard la France. Le latin gaulois, mêlé de nouveaux mots et d'un accent germanique, poursuit son évolution et se transforme en une langue autonome et distincte, appelée gallo-roman[1], ou *roman*[2]. Ainsi, cinq siècles après la chute de l'Empire romain d'Occident, deux langues coexistent sur le territoire français : le latin – la langue officielle – et le roman – la langue du peuple. Les autorités religieuses décident d'agir afin de réduire cet écart entre la langue parlée et la langue officielle. En 813, lors du concile de Tours, il est convenu que les sermons se feront dorénavant en roman.

Autour de l'an 1000, le territoire français se retrouve morcelé, replié sur lui-même. Dans chaque région, le gallo-roman poursuit son évolution et se transforme en une multitude de dialectes. Ceux-ci appartiennent à deux groupes linguistiques bien distincts : sous l'appellation *langue d'oc*[3], on trouve l'ensemble des dialectes parlés dans le sud du territoire (comme le gascon ou le provençal, qui a survécu jusqu'à nous), tandis que la *langue d'oïl* rassemble les dialectes du nord (comme le francien, le picard, l'anglo-normand, etc.). Après une lente évolution qui s'étend sur plusieurs siècles, le dialecte qui va s'imposer au détriment de tous les autres est le *francien*, le parler de la région de Paris, d'où viennent les rois de France.

Les langues parlées sur le territoire français.

Jusqu'au Xe siècle, la langue romane n'a pas d'écriture, tous les textes officiels et religieux étant rédigés en latin classique. Toutefois, dans la foulée du concile de Tours, d'importants travaux de traduction sont entrepris afin de rendre accessibles différents textes religieux. Il s'agit d'une étape cruciale, car toute langue peut tomber dans l'oubli et disparaître, à plus forte raison si elle est dépourvue d'un code écrit. Cette vaste entreprise de traduction va donc permettre de doter la langue du peuple d'une structure ainsi que d'un système de codification.

---

1. Ailleurs dans l'ancien empire, le latin a donné l'italo-roman (italien), l'ibéro-roman (espagnol et portugais) et le roumain.
2. Qui vient de Rome.
3. Les deux groupes linguistiques sont désignés d'après la façon de dire « oui » dans chacun : « oc » dans le sud et « oïl » dans le nord.

Lorsqu'ils commencent à écrire en francien, ou ancien français, les clercs empruntent les caractères latins pour transcrire les sons de leur langue. La période de l'*ancien français* s'étend du IXe au XIIIe siècle. Dès le début du XIVe siècle, la syntaxe et l'orthographe subissent d'importantes modifications alors que le vocabulaire s'enrichit, notamment par des emprunts au latin et au grec : c'est la période du *moyen français*. Les derniers changements majeurs sont apportés au cours du XVIIe siècle : on parle alors de *français moderne*, car le français de la fin du Grand Siècle ressemble davantage à celui que nous utilisons aujourd'hui. Il convient par ailleurs de souligner que ce n'est qu'en 1539, avec l'ordonnance de Villers-Cotterêts, que le français devient enfin la langue officielle de la France. Les encadrés documentaires qui suivent résument l'évolution de la langue française et les caractéristiques de l'éducation au Moyen Âge.

ENCADRÉ | DOCUMENTAIRE

L'évolution de la langue française

Latin : À l'origine du gallo-roman, de l'ibéro-roman, de l'italo-roman et du roumain.

Gallo-roman (VIe-VIIe siècle) : Issu de la transformation du latin parlé en Gaule, du fonds celtique et du contact avec les dialectes des envahisseurs germaniques.

Ancien français, ou *francien* (IXe-XIIIe siècle) : Dialecte parlé dans la région de Paris.

Moyen français (XIVe-XVIe siècle) : Enrichissement de la langue et modifications (syntaxe, orthographe).

Français moderne (XVIIe siècle) : Écriture semblable à la langue d'aujourd'hui.

ENCADRÉ | DOCUMENTAIRE

L'éducation médiévale

L'éducation médiévale est centrée sur l'enseignement des sept arts libéraux, établis par Charlemagne et qui sont divisés en deux branches : le *trivium* comprend la grammaire, la rhétorique et la dialectique, alors que le *quadrivium* regroupe l'arithmétique, la géométrie, l'astronomie et la musique. Les connaissances en ces matières sont transmises dans les écoles monastiques et les écoles des cathédrales, puis, à partir du XIIIe siècle, dans les universités, où elles servent de propédeutique à l'admission dans les facultés de droit, de médecine et de théologie.

L'immense majorité de la population ne fréquente pas l'école. Seuls quelques garçons reçoivent l'équivalent de notre enseignement primaire dans les écoles paroissiales, et les meilleurs d'entre eux fréquentent ensuite les écoles monastiques ou les écoles des cathédrales (la plupart pour devenir clercs ou moines) et, plus tard, les universités.

DE L'ORAL À L'ÉCRIT

L a littérature du Moyen Âge est essentiellement orale. Qu'il s'agisse de **chansons de geste**, de **poésie lyrique**, de **fabliaux** ou de romans, toutes ces œuvres sont destinées à être lues, chantées ou jouées devant un public. De plus, le papier et les manuscrits étant rares et coûteux, autant les clercs et les étudiants que les jongleurs doivent mémoriser une quantité phénoménale d'information. Tous ces récitants doivent alors recourir à des techniques mnémoniques afin de ne rien oublier. C'est sans doute l'une des causes à l'origine des nombreux procédés fondés sur le rythme ou la répétition qui caractérisent la plupart des œuvres médiévales.

ENCADRÉ

DOCUMENTAIRE

Les troubadours, les trouvères et les jongleurs

Dans la seigneurie, de nombreux jeux et spectacles sont organisés pour divertir la population. Celle-ci est aussi invitée à assister aux tournois de chevaliers, qui servent à la fois d'entraînement au combat et qui peuvent donc être très dangereux. À cette occasion, les chevaliers sont appelés à démontrer leur bravoure dans l'espoir de gagner la faveur du public. D'autres divertissements sont offerts par les *troubadours,* les *trouvères* et les *jongleurs,* qui racontent en chansons les exploits des chevaliers ou des histoires d'amour.

Les troubadours et les trouvères font respectivement leur apparition au XIe et au XIIe siècle. On associe le mot « troubadour » aux poètes qui chantent en langue d'oc, parlée dans

Enluminure zurichoise (XIVe siècle). *Heinrich von Meissen trônant sur des musiciens – Codex Manesse* (1310). Bibliothèque de l'Université d'Heidelberg, Allemagne.

le sud, et le mot « trouvère » à ceux qui chantent en langue d'oïl, parlée dans le nord. Ces poètes musiciens sont probablement les premiers à se considérer comme de véritables auteurs. Ils sont issus de toutes les couches de la société ; on compte parmi eux des princes comme des roturiers[1]. Toujours bien accueillis dans les fêtes publiques et dans les châteaux, ils s'acquittent envers leur hôte en récitant ou en chantant leurs poésies, accompagnés d'un instrument de musique. Quant aux jongleurs (du latin *joculator,* qui signifie « rieur »), ils sont avant tout

---

1. Personne qui ne fait pas partie de la noblesse.

des amuseurs publics. Voyageant de ville en château, de foire en fête populaire, ils reprennent à leur façon les chansons de geste, fabliaux ou poèmes que composent les troubadours ou les trouvères.

La fin du XIᵉ siècle annonce le début d'un certain raffinement des mœurs à la cour du roi et dans les châteaux seigneuriaux, qui se manifeste notamment par le concept d'amour courtois ou *fin'amor,* un amour idéalisé conçu à la façon d'un rituel et que diffusent les troubadours et les trouvères par leurs chansons.

LES PREMIERS ÉCRITS FRANÇAIS

Le plus ancien document en langue romane est probablement *Les serments de Strasbourg*, qui date de 842. Ce document juridique bilingue – en roman et en germanique – définit le partage de l'Empire entre les petits-fils de Charlemagne[1] et constitue en quelque sorte l'acte de naissance du français.

Les serments de Strasbourg

En roman	En français actuel
Pro Deo amur et pro christian poblo et nostro commun salvament, d'ist di in avant, in quant Deus savir et podir me dunat, si salvarai eo cist meon fradre Karlo et in adiudha et in cadhuna cosa, si cum om per dreit son fadra salvar dift, in o quid il mi altresi fazet et ab Ludher nul plaid nunquam prindal, qui, meon vol, cist meon fradre Karle in damno sit.	Pour l'amour de Dieu et pour le peuple chrétien et notre salut commun, à partir d'aujourd'hui, et tant que Dieu me donnera savoir et pouvoir, je secourrai ce mien frère Charles par mon aide et en toute chose, comme on doit secourir son frère, selon l'équité, à condition qu'il fasse de même pour moi, et je ne tiendrai jamais avec Lothaire aucun plaid qui, de ma volonté, puisse être dommageable à mon frère Charles.

Les premiers textes littéraires écrits en ancien français rassemblent sous l'appellation d'**hagiographie**[2] des écrits liturgiques, spirituels ou relatant la vie des saints : *Séquence de sainte Eulalie* (v. 865), *Vie de saint Léger* (v. 900) ou encore *Vie de saint Alexis* (v. 940). Il faut dire qu'à cette époque l'étude de la vie des saints est considérée à la fois comme une science et comme un acte de vénération. Les hagiographies proposent une morale et un enseignement religieux et s'accompagnent

---

1. Par ce traité, Louis le Germanique et Charles le Chauve cherchent à se protéger de leur frère aîné, Lothaire.
2. Du grec *agiografa*, qui signifie « écrits sacrés ».

souvent d'un calendrier qui désigne aux fidèles leurs devoirs de piété. Présente dès le IXe siècle, la littérature hagiographique connaîtra un second souffle à l'ère des croisades. Cependant, au XIe siècle, une littérature plus profane commence à se profiler. Issue de l'épopée[1], dont la tradition remonte à Homère – avec l'*Iliade* et l'*Odyssée* (v. 800 av. J.-C.) –, la chanson de geste met en scène des personnages historiques dont elle raconte les hauts faits en les magnifiant.

LA CHANSON DE GESTE

Une première forme littéraire profane émerge, la chanson de *geste*[2], qui relate des récits épiques. Les premières chansons de geste voient le jour au XIIe siècle, mais les personnages héroïques qu'on y dépeint ont plutôt vécu au VIIIe et au IXe siècle. La chanson de geste exalte les vertus et les exploits des chevaliers – notamment ceux de l'empereur Charlemagne et de ses preux – et transforme des personnages historiques en héros légendaires.

Les chansons de geste sont écrites en **vers de dix syllabes** et divisées en couplets autonomes appelés **laisses**. L'unité de la laisse se traduit à la fois par son contenu narratif, par les **assonances** (répétition en fin de vers de la même voyelle accentuée) et par la **cadence** (une phrase musicale signale la fin de la laisse). Les laisses se succèdent selon deux principaux procédés: dans les laisses en parallèle, le même récit est repris, mais d'un autre point de vue; dans les laisses enchaînées, le dernier vers de la laisse est repris au début de la laisse suivante.

Le récit épique se caractérise aussi par la répétition de certaines formules (par exemple: «Hauts sont les monts et les vals ténébreux», dans la *Chanson de Roland*). L'usage de ces procédés de répétition peut s'expliquer par la nécessité – les jongleurs ayant de longs textes à mémoriser –, mais on peut aussi penser qu'ils sont partie intégrante du genre. Ainsi, le public des chansons de geste est invité à participer à une sorte de rituel dans lequel chacun se reconnaît dans les valeurs véhiculées par le récit. Cette dernière interprétation met en lumière l'important rôle social associé à la littérature médiévale.

Jean Fouquet (v. 1410-v. 1470). *Les grandes chroniques des rois de France: La mort de Roland à la bataille de Roncevaux* (v. 1450). Bibliothèque nationale de France (Manuscrits occidentaux, Français 6465, fol. 113), Paris, France.

---

1. Ce mot issu du grec désigne l'acte de composer des récits en vers ou des récits d'aventures fondateurs.
2. De *gesta*, désignant une action qui mérite d'être racontée, un exploit.

La plus ancienne chanson de geste est la *Chanson de Roland*, consignée dans sept manuscrits qui sont autant de versions différentes. La chanson s'inspire d'un événement historique, la bataille de Roncevaux (778), qu'elle transforme largement en l'idéalisant. Après sept ans de guerre contre les Sarrasins[1] (dans les faits, cette expédition n'a duré que quelques semaines), Charlemagne a pris toute l'Espagne, sauf Saragosse, où règne le roi Marsile. Roland est alors dans l'arrière-garde lorsque celle-ci est attaquée par une armée qui les dépasse en nombre. Son grand ami Olivier lui demande de sonner le cor pour avertir l'armée de l'attaque. En preux chevalier, Roland préfère se battre plutôt que demander de l'aide. Dans l'extrait qui suit, Roland vient d'être blessé dans la bataille. Dans un ultime geste de bravoure, il réussit à faire sonner son cor pour avertir son roi avant de mourir et il tente de briser son épée pour qu'elle ne soit pas utilisée par un ennemi.

ŒUVRE | Chanson de Roland

En ancien français	En français actuel

173

Rollant ferit en une perre bise.
Plus en abat que jo ne vos sai dire.
L'espee cruist, ne fruisset
  ne ne brise,
Cuntre ciel amunt est resortie.
Quant veit li quens que ne
  la freindrat mie,
Mult dulcement la pleinst a sei
  meïsme :
« E Durendal, cum es bel
  e seintisme !
En l'oriet punt asez i ad reliques,
La dent seint Perre e del sanc seint
  Basilie
E des chevels mun seignor
  seint Denise ;
Del vestement i ad seinte Marie :
Il nen est dreiz que paiens
  te baillisent ;
De chrestiens devez estre servie.
Ne vos ait hume ki facet cuardie !
Mult larges teres de vus avrai
  cunquises,
Que Carles tent, ki la barbe ad fleurie
E li empereres en est ber e riches. »

173

Roland frappe sur une pierre grise. Il en détache plus que je ne peux vous en dire. L'épée grince mais elle ne se plie ni ne se rompt. Elle rebondit haut vers le ciel. Quand Roland comprend qu'il ne la brisera pas, il la plaint tendrement en lui-même : « Ah ! Durendal comme tu es belle et sainte ! Dans ton pommeau doré il y a bien des reliques : une dent de saint Pierre, du sang de saint Basile, des cheveux de monseigneur saint Denis, un morceau du vêtement de sainte Marie. Ce serait injuste que des païens te possèdent. C'est par des chrétiens que vous devez être servie. Ne tombez pas aux mains d'un lâche ! J'aurai, grâce à vous, conquis de vastes territoires que possède maintenant Charles dont la barbe est toute blanche et qui font sa gloire et sa puissance. »

---

1. Au Moyen Âge, musulman d'Orient, d'Afrique ou d'Espagne.

174

Ço sent Rollant que la mort
  le tresprent,
Devers la teste sur le quer
  li descent.
Desuz un pin i est alet curant,   5
Sur l'erbe verte s'i est culchet adenz,
Desuz lui met s'espee e l'olifan,
Turnat se teste vers la paiene gent:
Pur ço l'at fait que il voelt veirement
Que Carles diet e trestute sa gent,   10
Li gentilz quens, qu'il fut mort
  cunquerant.
Cleimet sa culpe e menut e suvent,
Pur ses pecchez Deu en puroffrid
  li guant. AOI   15

174

Roland sent que la mort le pénètre et que de la tête elle descend jusqu'au cœur. Il est allé en courant au pied d'un pin et il s'est couché face contre terre sur l'herbe verte. Il place sous lui son épée et son cor et tourne la tête du côté de la race des païens. Il le fait car il veut vraiment que Charles et tous les siens disent que le noble comte est mort en conquérant. À petits coups répétés il fait son mea culpa. Pour faire pardonner ses péchés il tend son gant vers Dieu.

175

Ço sent Rollant de sun tens
  n'i ad plus:
Devers Espaigne est en un
  pui agut,
A l'une main si ad sun piz batud: 5
«Deus, meie culpe vers les tues
  vertuz
De mes pecchez, des granz e
  des menuz,
Que jo ai fait dès l'ure que nez fui   10
Tresqu'a cest jur que ci sui
  consoüt!»
Sun destre guant en ad vers
  Deu tendut,
Angles del ciel i descendent a lui.   15
AOI.

175

Roland sent qu'il n'a plus longtemps à vivre. Tourné vers l'Espagne, il est allongé sur un sommet escarpé, d'une main il se frappe la poitrine: «Mon Dieu, au nom de ta bonté divine, pardon pour tous les péchés grands et petits que j'ai commis depuis l'heure de ma naissance jusqu'à ce jour où me voici terrassé!» Il tend vers Dieu son gant droit et les anges du ciel descendent jusqu'à lui.

LA POÉSIE LYRIQUE

Sous l'influence de la courtoisie qui se développe dans le sud de la France à partir du
Xe siècle, la chanson de geste et ses valeurs essentiellement masculines sont peu à peu
remplacées par la poésie lyrique[1] courtoise, qui se définit par sa thématique amoureuse.

---

1. À l'origine, l'expression «poésie lyrique» désigne une poésie chantée, accompagnée à la lyre.

DOCUMENTAIRE

ENCADRÉ

La courtoisie

La notion de courtoisie est au cœur de la littérature médiévale. Les croisades entraînent de nombreux seigneurs – et leurs chevaliers à leur suite – loin de leur château pour de longues périodes, ce qui laisse à la femme un plus grand rôle social. Ce nouveau contexte favorise l'émergence d'un système de valeurs fondé sur l'honneur, l'art d'aimer et les manières de la cour.

Enluminure zurichoise (XIVe siècle). *Duel avec lances – Codex Manesse* (1310). Bibliothèque de l'Université d'Heidelberg, Allemagne.

Sous l'influence du *fin'amor*, la quête personnelle et guerrière qui est valorisée par la chanson de geste est bientôt remplacée par la littérature courtoise, qui dépeint un rituel amoureux dans lequel la dame tient le rôle principal. Il s'agit pour le chevalier, qui se distingue notamment par ses manières raffinées et sa belle prestance, de prouver sa valeur en se dévouant totalement à sa dame, inaccessible puisqu'elle est forcément mieux née que lui et, par surcroît, déjà mariée. Car l'amour courtois est le plus souvent chaste et le désir prime sa réalisation. Ainsi, plus la dame est inaccessible, plus le désir du chevalier est grand. En outre, dans le rituel courtois, la dame (souvent reine ou princesse) multiplie les obstacles, ce qui force le chevalier à accomplir des exploits pour prouver son amour. Au cours de sa quête, il va devoir affronter des forces surnaturelles, des monstres et des félons[1]. De plus, il se retrouve souvent déchiré entre son devoir de fidélité à l'égard de sa dame et celui de loyauté à l'endroit de son seigneur. S'ensuit un rituel initiatique au cours duquel le chevalier, devant l'impossibilité d'une union avec sa dame et les obstacles dressés par elle, erre en accomplissant des exploits fabuleux.

Les troubadours et les trouvères, auteurs de cette nouvelle forme d'expression artistique, commencent bientôt à s'intéresser de plus près à la structure de leurs œuvres et aux procédés de versification. Peu à peu, la rime remplace l'assonance et on voit apparaître différentes formes, tels les **rondeaux** et les **motets**. Le plus célèbre des troubadours est Guillaume IX, duc d'Aquitaine (1071-1127), que plusieurs considèrent comme le créateur de la poésie lyrique courtoise.

---

1. Personne qui agit d'une manière déloyale envers son seigneur.

ŒUVRE

Guillaume IX, duc d'Aquitaine (1071-1127)

Chanson

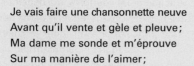

Extrait en langue d'oc

Farai chansoneta nueva
Ans que vent ni gel ni plueva ;
Ma dona m'assai' e.m prueva,
Quossi de qual guiza l'am ;
5 E ja per plag que m'en mueva
No.m solvera de son liam.

Je vais faire une chansonnette neuve
Avant qu'il vente et gèle et pleuve ;
Ma dame me sonde et m'éprouve
Sur ma manière de l'aimer ;
5 Jamais, quelles que soient
   les querelles,
Je n'irais m'acquitter de son lien.

Plutôt je me rends et me livre à elle :
Dans sa charte elle peut m'inscrire.
10 Et ne me tenez pas pour ivre
Si j'aime ma parfaite dame,
Car sans elle je ne peux pas vivre,
Tellement j'ai grand-faim de son amour.

Elle est plus blanche que l'ivoire,
15 Aussi nulle autre je n'adore.
Si je n'obtiens sous peu de l'aide,
L'amour de ma parfaite dame,
Je meurs, par la tête de saint Grégoire,
Sans baisers d'elle en chambre
20   ou sous la branche.

Quel profit y aurez-vous, dame
Jolie, si votre amour m'éloigne ?
Vous voulez, il semble, être nonne !
Sachez-le, tellement je vous aime :
25 Je crains que la douleur m'étreigne
Si vous ne réparez les torts dont
   je me plains.

Quel gain pour vous,
   si je me cloître,
30 Et si vous ne me retenez pas ?
Toute la joie du monde est nôtre,
Dame, à tous deux nous aimer.
Là-bas, à mon ami Daurostre,
Je fais savoir qu'il chante sans crier.

35 Pour elle je frissonne et tremble,
Tant je l'aime d'un amour intense ;
Je ne crois pas qu'il en soit
   de semblable
En physionomie, du grand
40   lignage d'Adam.

À partir du milieu du XIII⁰ siècle et jusqu'à la fin du Moyen Âge, la poésie lyrique se détache définitivement de la littérature courtoise. Pendant cette période marquée par la fin de la guerre de Cent Ans, la poésie se fait le miroir d'une société déchirée et désemparée. S'inspirant des vagants[1], elle épouse un style plus intimiste, qui exclut toute référence à la tradition courtoise. On y raconte le mal de vivre et la misère avec une teinte de fatalisme. Le plus digne représentant de cette poésie en mutation est sans aucun doute Rutebeuf (?-1290). Son œuvre, à la fois satirique, religieuse et morale, exprime un nouveau lyrisme et reflète déjà l'image du poète maudit – image qui s'appliquera aussi plus tard à François Villon et, jusqu'au XIX⁰ siècle, à nombre de poètes.

---

1. Étudiants, clercs ou moines « évadés » qui pratiquent le vagabondage intellectuel.

La *Complainte de Rutebeuf* peut aussi être associée à un autre genre littéraire apparu vers la même époque : le **dit**. Les dits, humoristiques ou dramatiques, s'appuient souvent sur des expériences personnelles ou sont inspirés par l'entourage de l'auteur.

Rutebeuf (?-1290)

Complainte de Rutebeuf

Extrait en ancien français

Que sont mi ami devenu
Que j'avoie si près tenu
Et tant amé ?
Je cuit qu'il sont trop cler semé :
5   Il ne furent pas bien semé
Si sont failli.

Que sont mes amis devenus
Que j'avais de si près tenus
Et tant aimés ?
Je crois qu'ils étaient trop clairsemés[1] ;
5   Ils ne furent pas bien semés,
Et qu'ils sont perdus.
Ces amis m'ont bien failli,
Car jamais, tant que Dieu m'assaillit
De tous côtés,
10   Je n'en vis un seul à mes côtés.
Je crois que le vent les a ôtés,
L'amour est morte :
Ce sont amis que le vent emporte,
Et il ventait devant ma porte
15   Et il les emporta,
Car jamais aucun d'eux ne me réconforta
Ni de son bien ne m'apporta.
Ceci m'apprend
Que quiconque a des biens, ami les prend ;
20   Mais celui qui trop tard se repend
D'avoir trop mis
De son avoir pour se faire des amis,
Il ne les trouve pas sincères, même à demi,
Pour le secourir.
25   Je laisserai donc Fortune courir
Et je tenterai de me secourir
Si je puis le faire.

---

1. Éparpillés.

L'amour courtois et la poésie lyrique n'échappent pas à la **parodie** et à la **satire**. Dès le XIIe siècle, goliards et vagants se dressent contre la culture dominante et critiquent l'ordre établi, celui de l'Église, surtout. Un phénomène semblable se répète au XVe siècle, alors que le nombre de diplômés universitaires augmente, mais que nombre de ces derniers vivent toujours dans la misère. Parmi ces étudiants qui mènent une vie plutôt aventureuse et dissolue se trouve François Villon (1431-après 1463). Mêlé à une série de méfaits, Villon est arrêté et condamné à être pendu. Sa peine sera finalement commuée, et Villon devra vivre en exil pendant dix ans. C'est pendant son incarcération qu'il a composé *L'épitaphe Villon*, mieux connue sous le nom de *Ballade des pendus*.

Épitaphe dudit Villon (1489). Bibliothèque nationale de France (Réserve des livres rares, RES-YE 245, fol. GIII), Paris, France.

François Villon (1431-après 1463)

L'épitaphe Villon

Extrait en moyen français

Freres humains qui après nous vivez,
N'ayez les cuers cotre nous endurcis,
Car, se pitié de nous povres avez,
Dieu en aura plus tost de vous mercis.
5 Vous nous voiez cy attachez cinq, six :
Quant de la chair, que trop avons nourrie,
Elle est pieça devorée et pourrie,
Et nous, les os, devenons cendre et pouldre.
De nostre mal personne ne s'en rie ;
10 Mais priez Dieu que tous nous vueille absoudre !

Frères humains qui après nous vivez,
N'ayez les cœurs contre nous endurcis,
Car, si pitié de nous pauvres avez,
Dieu en aura plus tôt de vous merci.
5 Vous nous voyez ci attachés, cinq, six :
Quand de la chair, que trop avons nourrie,
Elle est pièça[1] dévorée et pourrie,
Et nous, les os, devenons cendre et poudre.
De notre mal personne ne s'en rie :
10 Mais priez Dieu que tous nous veuille absoudre[2] !

Si frères vous clamons, pas n'en devez
Avoir dédain, quoique fûmes occis[3]
Par justice. Toutefois, vous savez
Que tous hommes n'ont pas le sens rassis[4] ;
15 Excusez-nous, puisque sommes transis[5],
Envers le fils de la Vierge Marie,
Que sa grâce ne soit pour nous tarie,
Nous préservant de l'infernale foudre.
Nous sommes morts, âme ne nous harie[6] ;
20 Mais priez Dieu que tous nous veuille absoudre !

La pluie nous a débués[7] et lavés,
Et le soleil desséchés et noircis ;
Pies, corbeaux nous ont les yeux cavés[8]
Et arraché la barbe et les sourcils.
25 Jamais nul temps nous ne sommes assis ;
Puis çà, puis là, comme le vent varie,
À son plaisir sans cesser nous charrie[9],
Plus becquetés d'oiseaux que dés à coudre.
Ne soyez donc de notre confrérie ;
30 Mais priez Dieu que tous nous veuille absoudre !

Prince Jésus, qui sur tous a maîtrie[10],
Garde qu'Enfer n'ait sur nous seigneurie :
À lui n'avons que faire ni que soudre[11].
Hommes, ici n'a point de moquerie ;
35 Mais priez Dieu que tous nous veuille absoudre !

Portrait de François Villon (1489, colorié ultérieurement). Bibliothèque nationale de France (Réserve des livres rares, RES-YE 245, fol. GIIv), Paris, France.

---

1. Depuis un certain temps.
2. Pardonner des péchés commis.
3. Du verbe occire qui signifie tuer.
4. Avoir le sens rassis, c'est être réfléchi.
5. Morts.
6. Que personne ne nous insulte.
7. Lessivés.
8. Creusés.
9. Balance.
10. Pouvoir.
11. De comptes à rendre.

LA LITTÉRATURE BOURGEOISE

Pendant que les nobles sont retenus loin du pays par les croisades, une nouvelle classe se profile à la faveur de l'essor du commerce en Méditerranée. Les marchands qui habitent les bourgs (d'où le nom de bourgeois) n'ont que faire de l'idéal courtois et des valeurs rurales. Ils préfèrent les fabliaux, dans lesquels on se moque des vilains[1] et des prêtres, et ils raffolent des histoires que leur propose le *Roman de Renart*.

Le *Roman de Renart*

Ce que l'on appelle communément le *Roman de Renart* est en fait une œuvre collective constituée de plusieurs **branches** indépendantes les unes des autres. La branche la plus ancienne date de 1174-1177, et les ajouts se sont succédé jusqu'au XIVe siècle[2]. D'une branche à l'autre, on retrouve les mêmes personnages, et principalement le rusé Renart; c'est cette constance qui confère à l'œuvre son unité. Usant d'un procédé qui remonte à l'Antiquité, les auteurs se servent du déguisement animal pour raconter la vie des humains et, surtout, pour critiquer et parodier celle des nobles.

Le succès remporté par le *Roman de Renart* est tel que le mot «goupil», qui jusque-là désignait l'animal, est remplacé par le nom du personnage de Renart. Cette popularité cessera de croître à partir du XIIIe siècle; les récits perdent alors en originalité, car les différentes branches qui continuent de se greffer au roman ne proposent que des histoires ou des contes connus.

ŒUVRE | Roman de Renart

Renard et Tiécelin le corbeau – Branche II

Extrait en ancien français

Il leve sus por mels veoir:
Tiecelin voit lasus seoir,
Qui ses comperes ert de viez,
Le bon formache entre ses piez.
5 Priveement l'en apela:
«Por les seins Deu, que voi ge la?
Estes vos ce, sire conpere?
Bien ait hui l'ame vostre pere
Dant Rohart qui si sot chanter!
10 Meinte fois l'en oï vanter
Qu'il en avoit le pris en France.
Vos meïsme en vostre enfance
Vos en solieez molt pener.
Savés vos mes point orguener?
15 Chantés moi une rotruenge!»

---

1. Paysan libre, qui n'est pas serf.
2. L'ensemble des branches totalise près de 100 000 vers écrits par plus de 20 auteurs.

Il se dresse pour mieux voir : il voit Tiécelin, perché là-haut, un de ses vieux compères, le bon fromage entre ses pattes. Familièrement, il l'interpelle : « Par les saints de Dieu, que vois-je là ? Est-ce vous, sire compère ? Bénie soit l'âme de votre père, sire Rohart, qui si bien sut chanter ! Maintes fois je l'ai entendu
5 se vanter d'en avoir le prix en France. Vous-même, en votre enfance, vous vous y exerciez. Ne savez-vous donc plus vocaliser ? Chantez-moi une rotrouenge[1] ! » Tiécelin entend la flatterie, ouvre le bec, et jette un cri. Et Renard dit : « Très bien ! Vous chantez mieux qu'autrefois. Encore, si vous le vouliez, vous iriez un ton plus haut. » L'autre, qui se croit habile chanteur, se met dere-
10 chef[2] à crier. « Dieu ! dit Renard, comme s'éclaire maintenant, comme s'épure votre voix ! Si vous vous priviez de noix, vous seriez le meilleur chanteur du monde. Chantez encore, une troisième fois ! »

L'autre crie à perdre haleine, sans se douter, pendant qu'il peine, que son pied droit se desserre ; et le fromage tombe à terre, tout droit devant les pieds de
15 Renard.

Le glouton qui brûle et se consume de gourmandise n'en toucha pas une miette ; car, s'il le peut, il voudrait aussi tenir Tiécelin. Le fromage est à terre, devant lui. Il se lève, clopin-clopant : il avance le pied dont il cloche, et la peau, qui encore lui pend. Il veut que Tiécelin le voie bien : « Ah Dieu ! fait-il, comme Dieu m'a
20 donné peu de joie en cette vie ! Que ferai-je, sainte Marie ! Ce fromage pue si fort et vous dégage une telle odeur que bientôt je suis mort. Et surtout, ce qui m'inquiète, c'est que le fromage n'est pas bon pour mes plaies ; je n'en ai nulle envie, car les médecins me l'interdisent. Ah ! Tiécelin, descendez donc ! sauvez-moi de ce mal ! certes, je ne vous en prierais pas, mais j'eus l'autre jour la jambe
25 brisée dans un piège, par malheur. Alors m'advint cette disgrâce : je ne peux plus aller et venir ; je dois maintenant me reposer, mettre des emplâtres et me refaire, pour guérir. » Tiécelin croit qu'il dit vrai parce qu'il le prie en pleurant. Il descend de là-haut : quel saut malencontreux si messire Renard peut le tenir ! Tiécelin n'ose approcher. Renard voit sa couardise et commence à le rassurer : « Pour Dieu, fait-
30 il, avancez-vous ! Quel mal vous peut faire un blessé ? » Renard se tourne vers lui. Le fou, qui trop s'abandonna, ne sut ce qu'il fit quand l'autre sauta. Renard crut le saisir et le manqua, mais quatre plumes lui restèrent entre les dents.

Les fabliaux

Les fabliaux font leur apparition au XIIIe siècle. Le but premier de ces petits contes grivois écrits en vers est de faire rire, comme le suggèrent leurs titres : *Du chevalier qui fist les cons parler* ; *De Bérenger au long cul* ; *Des trois dames qui troverent un vit*[3] ; *Débat du con et du cul* ; *Le fouteor* ; *Du chevalier qui fist*. La majorité des fabliaux sont écrits en octosyllabes et sont assez courts. Ils se caractérisent aussi par leur plan simple et prévisible ainsi que par les situations et les personnages

1. Poème qui se termine par un refrain.
2. Immédiatement.
3. L'organe mâle.

typés. Les thèmes les plus récurrents sont les histoires de maris trompés, les récits de vengeance et les plaisanteries sur le clergé. Leur intérêt tient surtout au fait que les personnages qu'ils décrivent sont issus de la bourgeoisie, de la paysannerie ou du bas clergé. Les fabliaux étant surtout destinés à être contés dans les fêtes et foires populaires, souvent leurs auteurs n'hésitent pas à recourir à un style bas, voire obscène. Ainsi en est-il dans *Le fouteor*, qui raconte l'histoire d'un homme de vingt-six ans qui se prostitue.

Le fouteor

« Qui êtes-vous ? », dit la dame.

— Comment, madame, la jeune fille qui est venue à l'instant ne vous l'a-t-elle pas dit ? Vous voulez encore que je le dise ? Je suis un fouteur à gages. Si vous vouliez m'engager, je pense que je saurais bien vous servir et que vous
5   m'en seriez reconnaissante.

— Allez-vous en, monsieur, honte à vous ! Vous avez du culot de vous moquer des gens de la sorte !

— Par saint Gilles, madame, j'ai souvent été bien payé pour avoir rendu à des dames ce genre de service !

10   — Voire qu'à des dames sans honneur ! Dites-moi quand même: vous tra- vaillez à la journée ou à la tâche ? Si vous vous occupez de ma servante, elle vous donnera quatre deniers de sa cassette[1] si elle est contente de vous. Vous aurez ça pour votre service, mais il vous faut le mériter !

— Madame, vous feriez bien de vous occuper de vous-même avant que je
15   m'en aille, car je n'ai pas l'intention de rester ici davantage. »

Là-dessus, il s'éloigne sans plus attendre. La dame le rappelle :

« Ne partez pas ! Par ici ! Revenez ! Dites-moi honnêtement combien vous paie- t-on pour la journée ?

— Selon ce qu'elle est, une dame me trouvera toujours prêt à la servir. La
20   laide me remet d'avance cent sous avant que je lui fasse quoi que ce soit. La belle me donne moins.

— Ma foi, vous êtes un rustre ! Et à moi, combien me demanderiez-vous ?

— Madame, répond-il, bien sincèrement, si j'ai vingt sous et mon bain, et mon repas en plus, j'aurai à cœur de bien les mériter, car je sais y faire pour
25   bien servir une dame quand je m'y mets ! »

La dame l'emmène alors sans chercher à marchander davantage.

---

1. Petit coffre.

Le théâtre

L'essor des villes entraîne celui du théâtre, qui peut alors s'appuyer sur des infrastructures adéquates et un large public pour couvrir ses frais. Soutenu par la bourgeoisie, c'est dans les villes que le théâtre évolue et s'épanouit. Les spectacles théâtraux sont organisés surtout par des confréries, des corporations ou des associations et sont présentés à l'occasion de fêtes populaires. C'est le début de la farce et de la sottie, les deux principaux genres comiques.

La sottie est une pièce satirique, parfois inspirée de l'actualité. Certaines sont composées par des étudiants qui s'amusent aux dépens des institutions juridiques, religieuses ou politiques.

La farce, quant à elle, s'inspire de la tradition des jongleurs et met en scène des personnages fortement typés. Quelque 200 de ces farces sont parvenues jusqu'à notre époque. La plupart comptent de 200 à 500 vers et font interagir de trois à cinq personnages. On y exploite les travers des gens et les abus de toutes sortes. Dans ces comédies de situation, l'effet comique repose en partie sur les retournements de situation, comme dans la *Farce de maître Pathelin*. Composée entre 1461 et 1469, celle-ci constitue le modèle du genre: après avoir bien dupé le drapier, l'avocat Pathelin conseille à son client le berger qui, lui, a mangé les moutons du drapier, de répondre « Bée » à toutes les questions du juge. Le berger passe alors pour fou et est renvoyé chez lui. Dans l'extrait qui suit, le berger use du même stratagème à l'endroit de maître Pathelin quand celui-ci lui demande son dû après l'avoir si bien défendu: c'est le jeu du trompeur trompé.

ŒUVRE   Farce de maître Pathelin

PATHELIN (*au berger*). – Dis, Agnelet!

LE BERGER. – Bée!

PATHELIN. – Viens ici, viens! Ton procès a-t-il été bien mené?

LE BERGER. – Bée!

5 PATHELIN. – Ta partie s'est retirée. Ne dis plus « bée », ce n'est pas nécessaire. Lui ai-je donné un beau croc-en-jambe? Ne t'ai-je point conseillé comme il fallait?

LE BERGER. – Bée!

PATHELIN. – Hé! Diable! On ne t'entendra point. Parle hardiment,
10 ne te gêne pas.

LE BERGER. – Bée!

PATHELIN. – Il est temps que je m'en aille. Paye-moi!

LE BERGER. – Bée!

PATHELIN. – À dire vrai, tu as très bien joué ton rôle et tu as également fait
15 bonne contenance. Ce qui lui a donné le change, c'est que tu t'es retenu de rire.

LE BERGER. – Bée!

PATHELIN. — Que signifie ce «bée»? Il ne faut plus le dire. Paye-moi bien gentiment!

LE BERGER. — Bée!

20 PATHELIN. — Que veut dire ce «bée»? Parle d'une façon sensée et paye-moi, puis je m'en irai.

LE BERGER. — Bée!

PATHELIN. — Sais-tu quoi? Je vais te le dire. Je te prie, sans m'étourdir davantage avec tes «bées», de songer

25 à me payer. Je ne veux plus de ta béerie. Paye vite!

LE BERGER. — Bée!

PATHELIN. — Est-ce une blague? Est-ce tout ce que tu feras? Par mon serment, tu me paieras, comprends-tu? à moins que tu ne t'envoles! Allons! l'argent!

30 LE BERGER. — Bée!

PATHELIN. — Tu t'amuses! Comment? N'en aurai-je autre chose?

LE BERGER. — Bée!

Pathelin et le berger (v. 1489). Bibliothèque nationale de France (Réserve des livres rares, RES-YE 243*, fol. 3V), Paris, France.

PATHELIN. — Tu fais le rimeur en prose! À qui vends-tu

35 tes coquilles? Sais-tu à qui tu as affaire? Ne me rebats plus les oreilles avec ton «bée», et paye-moi!

LE BERGER. — Bée!

PATHELIN. — N'en aurai-je pas d'autre monnaie? De qui crois-tu te jouer? Je devais tant me louer de toi! Fais donc en sorte que je me loue de toi!

40 LE BERGER. — Bée!

PATHELIN. — Me fais-tu manger de l'oie? Malgré Dieu! ai-je vécu si longtemps pour qu'un berger, un mouton habillé, un vilain gueux, se paye ma tête?

LE BERGER. — Bée!

PATHELIN. — N'en aurai-je pas une autre parole? Si tu le fais pour t'amuser,

45 dis-le, ne me fais plus discuter! Viens t'en souper à ma maison.

LE BERGER. — Bée!

PATHELIN. — Par saint Jean, tu as raison. Les oisons mènent paître les oies. (*À part*) Eh bien, je croyais l'emporter sur tous les trompeurs d'ici et d'ailleurs, sur les escrocs et les donneurs de paroles en paiement, à rendre au jour du

50 jugement dernier; et voilà qu'un berger des Champs me surpasse! (*Au berger*) Par saint Jacques! si je trouvais un agent de police, je te ferais arrêter!

LE BERGER. — Bée!

PATHELIN. — Hein! «bée»! Qu'on puisse me pendre, si je ne vais pas faire venir un bon agent! Puisse-t-il lui arriver malheur s'il ne t'emprisonne pas!

55 LE BERGER (*s'enfuyant*). — S'il me trouve, je lui pardonne!

LE ROMAN

Les historiens de la littérature se heurtent à certaines difficultés, la principale étant de distinguer les manuscrits originaux des versions modifiées, souvent nombreuses. À l'époque médiévale, on ignore le concept de propriété intellectuelle qu'on associe aujourd'hui au travail d'un auteur. C'est pourquoi il n'est pas rare de voir différents copistes reprendre le texte d'un prédécesseur, en supprimer certains passages et en ajouter selon leur goût, ou même en modifier la structure. De ces retouches multiples résultent plusieurs versions d'une même œuvre (c'est le cas notamment de la *Chanson de Roland* et de *Tristan et Iseut*). La notion d'« auteur » commence à se préciser au XIIIᵉ siècle et coïncide avec les débuts du roman ; ceux de Chrétien de Troyes, de Jean de Meun et de Guillaume de Lorris, entre autres.

Le roman n'a pas de racines antiques. Le XIIᵉ siècle en produit déjà quelques-uns, mais on ne les différencie pas encore de la chanson de geste ou de l'hagiographie. Le terme lui-même, « roman », désigne tout simplement un texte écrit en langue romane, par opposition aux textes écrits en latin. Les premiers romans décrivent des aventures héroïques empreintes de merveilleux et leurs héros empruntent à la poésie lyrique une certaine caractérisation psychologique qui se traduit surtout par leur tempérament. Cependant, à la différence de la chanson de geste ou de la poésie lyrique, le roman n'est pas composé en fonction d'une quelconque *musicalité*, sa finalité étant d'être simplement récité, souvent à la manière d'un poème puisque le roman peut aussi s'écrire en vers. Un bon exemple de ces romans empreints de merveilleux et d'héroïsme est *Tristan et Iseut*. Ce récit raconte la destinée d'un chevalier, Tristan, qui est chargé de ramener la femme promise à son roi. Au cours du voyage, les deux jeunes gens boivent malencontreusement un philtre d'amour. Cette légende a connu un franc succès dans toute l'Europe. Malheureusement, aucun manuscrit de l'époque ne la présente dans son intégralité. L'histoire de Tristan et Iseut a été reconstituée plus tard à partir de fragments, ce qui a donné lieu à plusieurs versions. C'est ce qui explique que, dans une version, les effets du philtre magique sont temporaires, alors que, dans une autre, ils sont permanents.

Enluminure (XVᵉ siècle). *Tristan boit le philtre d'amour* (1470). Bibliothèque nationale de France (Manuscrits occidentaux, Français 112 (1), fol. 239), Paris, France.

Tristan et Iseut (version de Joseph Bédier)

Le philtre d'amour

De nouveau, la nef[1] cinglait[2] vers Tintagel. Il semblait à Tristan qu'une ronce vivace, aux épines aiguës, aux fleurs odorantes, poussait ses racines dans le sang de son cœur et par de forts liens enlaçait au beau corps d'Iseut son corps et toute sa pensée, et tout son désir. Il songeait: «Andret, Denoalen, Guenelon
5 et Godoïne, félons[3] qui m'accusiez de convoiter la terre du roi Marc, ah! je suis plus vil encore, et ce n'est pas sa terre que je convoite! Bel oncle, qui m'avez aimé orphelin avant même de reconnaître le sang de votre sœur Blanchefleur, vous qui me pleuriez tendrement, tandis que vos bras me portaient jusqu'à la barque sans rames ni voile, bel oncle, que n'avez-vous, dès
10 le premier jour, chassé l'enfant errant venu pour vous trahir? Ah! qu'ai-je pensé? Iseut est votre femme, et moi votre vassal. Iseut est votre femme, et moi votre fils. Iseut est votre femme, et ne peut pas m'aimer.»

Iseut l'aimait. Elle voulait le haïr, pourtant: ne l'avait-il pas vilement dédaignée? Elle voulait le haïr, et ne pouvait, irritée en son cœur de cette tendresse
15 plus douloureuse que la haine.

Brangien les observait avec angoisse, plus cruellement tourmentée encore, car seule elle savait quel mal elle avait causé. Deux jours elle les épia, les vit repousser toute la nourriture, tout breuvage et tout réconfort, se chercher comme des aveugles qui marchent à tâtons l'un vers l'autre, malheureux quand
20 ils languissaient séparés, plus malheureux encore quand, réunis, ils tremblaient devant l'horreur du premier aveu.

Au troisième jour, comme Tristan venait vers la tente, dressée sur le pont de la nef, où Iseut était assise, Iseut le vit s'approcher et lui dit humblement:

«Entrez, seigneur.

25 — Reine, dit Tristan, pourquoi m'avoir appelé seigneur? Ne suis-je pas votre homme lige[4], au contraire, et votre vassal, pour vous révérer, vous servir et vous aimer comme ma reine et ma dame?»

Iseut répondit:

«Non, tu le sais, que tu es mon seigneur et mon maître! Tu le sais, que ta force
30 me domine et que je suis ta serve[5]! Ah! que n'ai-je avivé naguère les plaies du jongleur blessé! Que n'ai-je laissé périr le tueur du monstre dans les herbes du marécage! Que n'ai-je asséné sur lui, quand il gisait dans le bain, le coup de l'épée déjà brandie! Hélas! je ne savais pas alors ce que je sais aujourd'hui!

---

1. Bateau.
2. Naviguer.
3. Qui agit contre son seigneur.
4. Homme entièrement dévoué à une autre personne.
5. Féminin de serf, une personne qui n'a pas de liberté complète et qui est assujettie à un seigneur.

— Iseut, que savez-vous donc aujourd'hui ? Qu'est-ce donc qui vous tourmente ?

35 — Ah ! tout ce que je sais me tourmente, et tout ce que je vois. Ce ciel me tourmente, et cette mer, et mon corps, et ma vie ! »

Elle posa son bras sur l'épaule de Tristan ; des larmes éteignirent le rayon de ses yeux, ses lèvres tremblèrent. Il répéta :

« Amie, qu'est-ce donc qui vous tourmente ? »

40 Elle répondit :

« L'amour de vous. »

Alors il posa ses lèvres sur les siennes.

Mais, comme pour la première fois tous deux goûtaient une joie d'amour, Brangien, qui les épiait, poussa un cri, et, les bras tendus, la face trempée de
45 larmes, se jeta à leurs pieds :

« Malheureux ! arrêtez-vous, et retournez, si vous le pouvez encore ! Mais non, la voie est sans retour, déjà la force de l'amour vous entraîne et jamais plus vous n'aurez de joie sans douleur. C'est le vin herbé qui vous possède, le breuvage d'amour que votre mère, Iseut, m'avait confié. Seul, le roi Marc
50 devait le boire avec vous ; mais l'Ennemi s'est joué de nous trois, et c'est vous qui avez vidé le hanap[1]. Ami Tristan, Iseut amie, en châtiment de la male garde que j'ai faite, je vous abandonne mon corps, ma vie ; car, par mon crime, dans la coupe maudite, vous avez bu l'amour et la mort ! »

Les amants s'étreignirent ; dans leurs beaux corps frémissaient le désir et la
55 vie. Tristan dit :

« Vienne donc la mort ! »

Et, quand le soir tomba, sur la nef qui bondissait plus rapide vers la terre du roi Marc, liés à jamais, ils s'abandonnèrent à l'amour.

Les premiers romans ont pour sujet de prédilection les grandes quêtes antiques ; ils empruntent leurs héros à la mythologie ou reprennent en les transformant les aventures des héros d'Homère. Avec Chrétien de Troyes (v. 1135-v. 1183), considéré comme le père du genre, le roman s'intègre peu à peu dans la tradition courtoise, à laquelle il mêle des légendes celtiques[2] ainsi qu'un goût pour la féerie et l'idéal chevaleresque. Au milieu du XIIᵉ siècle, l'auteur des exploits du roi Arthur et des Chevaliers

---

1. Grand vase à boire en métal.
2. Les Celtes, dont les origines remontent au IIᵉ millénaire av. J.-C., occupaient un vaste territoire qui comprenait alors la Gaule, la Grande-Bretagne, l'Espagne, les Balkans et l'Italie du Nord. Les Romains ont conquis une bonne partie de ces territoires, mais la culture celtique s'est maintenue en Bretagne, au pays de Galles, en Cornouailles, en Irlande et en Écosse. Les Celtes se sont rapidement intégrés à ces communautés qu'ils ont enrichies de leur folklore.

de la Table ronde parvient à réaliser la synthèse du folklore celtique et de l'idéal courtois. Outre le roman de *Tristan et Iseut*, on lui doit notamment le cycle du *Lancelot-Graal*, qui comprend, entre autres titres, *Lancelot ou Le chevalier à la charrette*, *Yvain ou Le chevalier au lion* et *Perceval ou Le conte du Graal* (inachevé). Dans *Yvain ou Le chevalier au lion*, après que Calogrenant, le cousin d'Yvain, eut raconté à ce dernier les mésaventures qui ont causé son déshonneur, Yvain décide de le venger. Dans l'extrait qui suit, Yvain affronte son adversaire.

Chrétien de Troyes (v. 1135-v. 1183)

Yvain ou Le chevalier au lion

[...] Mais avant que toute joie se calme vient, plus ardent de colère que la braise, le chevalier qui fait autant de bruit que s'il chassait un cerf en rut. Et dès le moment qu'ils s'aperçoivent, ils s'élancent l'un contre l'autre, tous deux se haïssant à mort. Chacun
5 manie une lance raide et forte. Ils s'assènent tant de grands coups qu'ils transpercent leurs écus accrochés au cou, se démaillent leurs hauberts[1], et
10 fendent, et font éclater leurs lances, dont les tronçons[2] volent en l'air. Ils se donnent l'assaut à l'épée et, à force de frapper, finissent par couper les
15 courroies de leurs écus qui, eux-mêmes, sont tout hachés, par-dessus et par-dessous, si bien que des parties en pendent, et qu'ils ne peuvent donc ni s'en
20 couvrir ni s'en protéger. Ils les ont tellement taillés en pièces qu'ils se portent des coups d'épées blanches, et sur les côtés, et sur les bras, et sur les
25 hanches. Ils se mettent dangereusement à l'épreuve et ne bougent pas plus de leur position

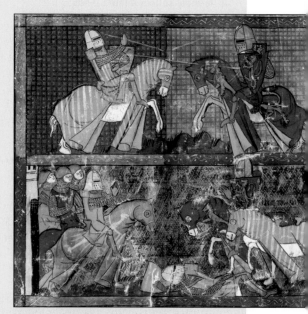

Yvain, le chevalier au lion (XIIIe siècle). Bibliothèque nationale de France (Manuscrits occidentaux, Français 1433, fol. 80v), Paris, France.

que deux rochers de grès. Jamais encore deux chevaliers ne se sont acharnés de cette façon pour hâter leur mort. Ils ne veulent pas gâter leurs coups

---

1. Chemise de mailles que portaient les chevaliers au Moyen Âge.
2. Morceau, fragment.

30 et les emploient du mieux qu'ils peuvent. Les heaumes[1] se cabossent et ploient,
et les mailles des haubert sautent de sorte qu'ils se paient d'assez de sang.
Eux-mêmes sont si échauffés que leurs propres haubert ne valent guère plus
qu'un froc[2]. En plein visage, ils se frappent d'estoc[3]. Et c'est merveille que
dure aussi longtemps une bataille à ce point féroce. Tous deux sont d'un tel
35 courage qu'aucun ne céderait, à aucun prix, un pied de terrain, sinon pour
donner la mort. Et ils agissent en vrais preux : à aucun moment, ils ne blessent
ou n'estropient leurs chevaux. Ce n'est ni ce qu'ils veulent ni ce qu'ils daignent
faire. Toujours, ils se tiennent à cheval. Pas une fois, ils ne mettent pied à
terre. La bataille ne s'avère que plus belle.

40 À la fin, messire Yvain fait éclater le heaume du chevalier, étourdi et affaibli
par le coup. Le chevalier s'en effraie : jamais il n'a essuyé un coup si traître.
Sous le capuchon, il a la tête fendue jusqu'au cerveau, et les mailles du haubert blanc se teignent de cervelle et de sang. Il ressent une si grande douleur
que, pour peu, son cœur flancherait. À ce moment-là, il s'enfuit, il ne se mettra
45 pas dans son tort, car il se sent blessé à mort. Il n'a donc plus à se défendre.
Dès qu'il reprend ses esprits, il galope à bride abattue[4] vers son château au
pont-levis abaissé et à la porte béante. Messire Yvain éperonne à sa poursuite, aussi vite qu'il le peut. Tout comme un gerfaut à la poursuite d'une grue
qui de loin l'approche, croit la tenir, mais ne réussit pas à la toucher, ainsi le
50 chevalier fuit et Yvain le chasse de si près qu'il vient sur le point de l'embrasser,
mais ne peut l'attraper. À telle proximité, il l'entend même se plaindre de la
douleur qu'il éprouve. Mais toujours le chevalier parvient à fuir, et l'autre, à
le pourchasser. Yvain craint beaucoup de perdre sa peine, s'il ne l'attrape, mort
ou vif. Il se souvient des insultes que messire Keu lui a adressées. Il ne sera
55 pas quitte de la promesse faite à son cousin, sans une preuve en guise de
son exploit, puisque nul ne le croira.

Dans un autre registre, on trouve Guillaume de Lorris (v. 1200-v. 1238) et
Jean de Meun (v. 1240-v. 1305), auteurs du *Roman de la rose*, le roman le plus lu
au Moyen Âge. Le *Roman de la rose* inscrit une rupture dans la littérature du
XIIIᵉ siècle. Commencé par Guillaume de Lorris vers 1237, qui en compose
4 000 vers, il est repris vers 1268 par Jean de Meun, qui en ajoute quelque 18 000.
Cette œuvre, dans laquelle l'allégorie et le symbolisme occupent une large place,
constitue une transition entre l'idéal courtois (perpétué par Guillaume de Lorris)
et le discours à tendance moraliste et philosophique (inauguré par Jean de Meun).

---

1. Grand casque enveloppant la tête et le visage.
2. Partie de l'habit du moine qui couvre la tête, les épaules et la poitrine.
3. Avec la pointe de l'épée.
4. Rapidement.

Guillaume de Lorris (v. 1200-v. 1238)

Roman de la rose

**Nature demande réparation
pour les crimes commis contre elle.**

> Extrait en ancien français
>
> Sanz faille, de touz les pechiés
> Dont li chetis est entechiés.
> A Dieu le laiz, bien s'en chevisse.
> Quant li plera, si l'en punisse.
> 5 Mes por ceus dont Amors se plaint,
> Car j'en ai bien oï le plaint,
> Je meïmes, tant cum je puis,
> M'en plains et m'en doi plaindre, puis
> Qu'il me revient le treü
> 10 Que tretuit homme m'ont deü
> Et touz jors doivent et devront
> Tant cum [mes] ostis recevront.

Assurément, en ce qui concerne les péchés auxquels l'homme est adonné, je les laisse à Dieu; il viendra bien à bout de l'en punir quand il lui plaira. Mais pour ceux dont Amour se plaint, car j'ai bien ouï sa plainte, c'est à moi d'en demander réparation, puisque les hommes renient le tribut qu'ils m'ont tou-
5 jours dû, me doivent et me devront toujours, tant qu'ils recevront mes outils. Génius, le bien emparlé, allez dans le camp, au dieu d'Amour, mon ami et zélé serviteur, dites-lui que je le salue ainsi que dame Vénus et toute la baronnie, hormis Faux Semblant, s'il est avec les félons orgueilleux et les dangereux hypocrites dont l'Écriture dit qu'ils sont les pseudo-prophètes. Je soupçonne
10 aussi Abstinence d'être orgueilleuse et semblable à Faux Semblant. Si l'on trouve encore avec ces traîtres avérés, Faux Semblant et son amie Abstinence, qu'ils n'aient point part à mes saluts. Telles gens sont trop à craindre. Amour devrait bien les repousser hors de son ost[1], s'il ne savait qu'ils fussent utiles à ses desseins; mais s'ils soutiennent la cause des parfaits amoureux et contri-
15 buent à soulager leurs maux, je leur pardonne leur fourberie.

Allez, ami, au dieu d'Amour, portez-lui mes plaintes et mes clameurs, non pas pour qu'il m'en fasse justice, mais pour qu'il se console et réjouisse de l'agréa-ble nouvelle, si pénible à nos ennemis, que je lui mande par votre bouche, et qu'il quitte le souci qui le ronge. Dites-lui que je vous envoie pour excom-
20 munier tous nos adversaires et pour absoudre les vaillants qui tâchent de bon cœur à suivre loyalement les règles qui sont écrites dans mon livre, et s'efforcent de multiplier leur lignage et pensent à bien aimer, car je dois les appeler tous amis pour mettre leur âme en joie.

---

1. Armée médiévale.

Sous la plume de Jean de Meun, le *Roman de la rose* cherche à transmettre un enseignement moral, éthique et philosophique ; en ce sens, on peut dire qu'il marque les débuts de la littérature didactique, une nouvelle tendance qui conduira, deux siècles plus tard, au courant humaniste. Cette œuvre unique en son genre va susciter un grand débat : certains la jugeront immorale, alors que d'autres célébreront sa grande sagesse. Parmi les détracteurs de l'œuvre se trouve Christine de Pisan (1364-v. 1430). Elle écrit alors *Épître au dieu d'amour* et le *Dit de la rose,* qui lancent les premiers débats littéraires et dans lesquels elle s'en prend à l'image négative des femmes dans la littérature.

ŒUVRE

Christine de Pisan (1364-v. 1430)

Épître au dieu d'amour

Or, sont ainsi les femmes diffamées
Par moultes[1] gens et à grand tort blâmées
Tant par bouche que par plusieurs écrits ;
Oui, qu'il soit vrai ou non, tel est le cri !
5 Mais, moi, tout le grand mal qu'on en dit
Ne trouve en aucun livre ni récit
Qui de Jésus parlent, soit de sa vie,
Soit de son trépas pourchassé d'envie ;
[...]
Communément une ne fait pas rigle[2] ;
10 Et qui voudra par histoire ou par bible
Me quereller en me donnant exemple
D'une ou de deux ou de plusieurs ensemble
Qui ont été réprouvées[3] et males
– Encore sont-elles fort anormales
15 Mais je parle selon le commun cours –
Bien rares sont qui usent de tels tours.
[...]
Je conclus que tout homme raisonnable
Doit les femmes priser, chérir, aimer ;
Qu'il ait souci de ne jamais blâmer
20 Celle de qui tout homme est descendu.
Ne lui soit le mal pour le bien rendu.
C'est sa mère, c'est sa sœur, c'est sa mie[4],
Ne sied pas qu'il la traite en ennemie ;
De ce s'abstienne tout noble courage[5]
25 Car gain n'en peut venir, mais lourd dommage,
Honte, dépit et mainte vilenie ;
Qui tel vice a n'est pas de ma mesnie[6].

1. Beaucoup.
2. Règle.
3. Personne rejetée par les hommes ou la société.
4. Femme aimée.
5. Cœur.
6. Maisonnée.

Malgré la controverse suscitée par le *Roman de la rose*, de toutes les œuvres du Moyen Âge, c'est probablement une des seules que la Renaissance ne reléguera pas aux oubliettes.

SYNTHÈSE   Le Moyen Âge

Les innovations linguistiques

■ L'ancien français : on utilise l'alphabet latin pour noter les sons du francien.

■ Le moyen français : le français s'enrichit en empruntant de nombreux mots, notamment au latin et au grec.

Les courants de pensée

■ Le courant épique

Les récits épiques racontent principalement de hauts faits historiques en les magnifiant ; ils célèbrent les vertus des chevaliers qui deviennent ainsi des héros légendaires. Ces chevaliers obéissent à des règles guerrières où priment l'honneur, la loyauté envers le seigneur, la piété, la largesse et le courage.

■ Le courant courtois

Les œuvres courtoises dépeignent une vision idéalisée de l'amour, au centre de laquelle se trouve l'inaccessible dame, pour qui le chevalier accomplit des exploits fabuleux afin de prouver son amour et sa loyauté.

■ Le courant bourgeois

La littérature bourgeoise reflète les valeurs d'une classe de marchands qui cherchent à se divertir et qui préfèrent des œuvres plus humoristiques comme les fabliaux, les farces et les sotties. Ces genres qu'on peut qualifier de « populaires » sont à l'opposé du style courtois, dont par ailleurs ils n'hésitent pas à se moquer. Ils privilégient la satire et les situations cocasses et mettent en scène des personnages qui ne font pas nécessairement partie de la noblesse.

Chapitre 2

La Renaissance

Albrecht Dürer (1471-1528). *Portrait d'un jeune homme* (1500).
Darmstadt (Hesse), Allemagne.

La Renaissance au fil du temps

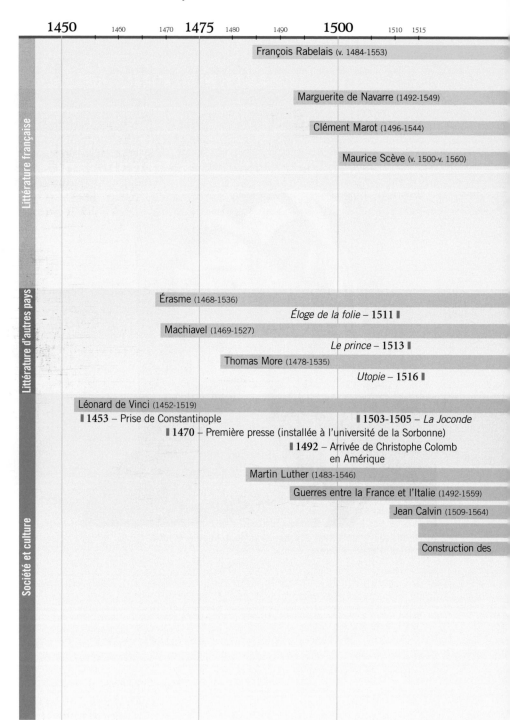

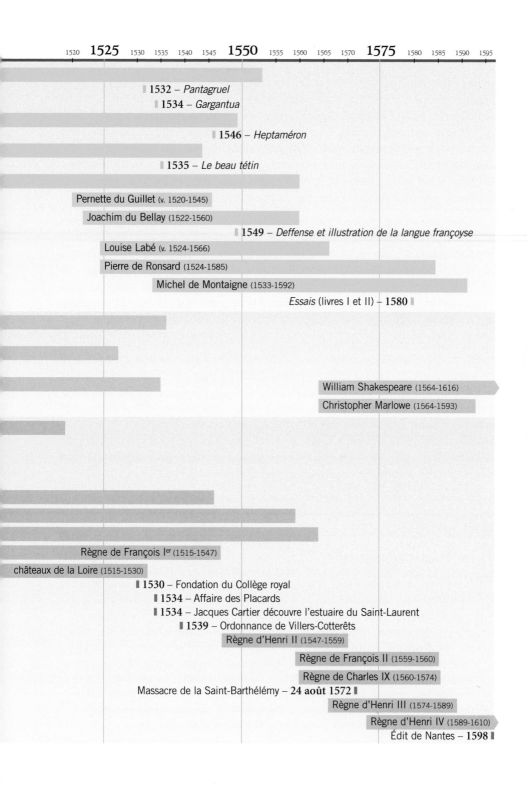

1520 **1525** 1530 1535 1540 1545 **1550** 1555 1560 1565 1570 **1575** 1580 1585 1590 1595

1532 – *Pantagruel*
1534 – *Gargantua*

1546 – *Heptaméron*

1535 – *Le beau tétin*

Pernette du Guillet (v. 1520-1545)
Joachim du Bellay (1522-1560)
1549 – *Deffense et illustration de la langue françoyse*
Louise Labé (v. 1524-1566)
Pierre de Ronsard (1524-1585)
Michel de Montaigne (1533-1592)
Essais (livres I et II) – **1580**

William Shakespeare (1564-1616)
Christopher Marlowe (1564-1593)

Règne de François Ier (1515-1547)
châteaux de la Loire (1515-1530)
1530 – Fondation du Collège royal
1534 – Affaire des Placards
1534 – Jacques Cartier découvre l'estuaire du Saint-Laurent
1539 – Ordonnance de Villers-Cotterêts
Règne d'Henri II (1547-1559)
Règne de François II (1559-1560)
Règne de Charles IX (1560-1574)
Massacre de la Saint-Barthélémy – **24 août 1572**
Règne d'Henri III (1574-1589)
Règne d'Henri IV (1589-1610)
Édit de Nantes – **1598**

LE CONTEXTE SOCIOHISTORIQUE (1453-1610)

Au XVe siècle, l'usage du canon rend inutiles les murailles et les châteaux forts «imprenables». Le monde féodal est en déclin et le rôle des seigneurs change; ceux-ci font désormais partie d'une élite aristocratique qui n'a plus besoin de se battre, puisque l'armée est maintenant dirigée par le roi, dont le pouvoir s'est renforcé. En 1453, l'Empire ottoman s'empare de Constantinople, et c'est la chute de l'Empire romain d'Orient. La prise de Constantinople, ville réputée pour son effervescence intellectuelle, a des effets immédiats : ses savants fuient vers l'Italie, emportant leurs biens les plus précieux, parmi lesquels leurs livres. L'arrivée massive de ces intellectuels est favorablement accueillie par les monarques de la péninsule, qui font preuve d'une grande ouverture d'esprit.

Dans ce contexte propice naît un souffle nouveau au sein des communautés intellectuelles et artistiques, notamment dans la ville de Florence, considérée comme le berceau de la Renaissance. C'est à Florence en effet qu'habite la richissime famille de Médicis, dont les largesses profiteront à de nombreux artistes. Par ailleurs, la chute de l'Empire romain d'Orient oblige l'Europe à trouver une nouvelle route jusqu'aux épices de l'Orient, ce qui mènera à la découverte du continent américain par le Génois Christophe Colomb : c'est le début des Grandes Explorations.

La France attendra près d'un siècle avant de connaître une renaissance intellectuelle et artistique comparable à celle de l'Italie. Ironiquement, c'est pendant les guerres qui, de 1492 à 1559, opposent les deux pays que l'influence italienne se fait le plus sentir en France. Pendant cette période, plusieurs rois français effectuent des voyages en Italie (Charles VIII en 1494, Louis XII en 1498 et François Ier en 1515). Tous sont séduits par ce qu'ils voient : les habits, la vie à la cour, les jardins et châteaux, la peinture, la sculpture, l'architecture, etc. François Ier invite des artistes tels que Léonard de Vinci à venir séjourner en France et rapporte d'Italie un modèle de costume pour en faire copier le style.

ENCADRÉ **DOCUMENTAIRE** ■

Les Grandes Explorations

L'amélioration des techniques de construction navale, l'invention d'instruments de navigation plus sophistiqués de même que les progrès dans le domaine de la cartographie permettent de pousser les expéditions toujours plus loin. C'est en cherchant un passage vers l'Inde que Christophe Colomb découvre le Nouveau Monde, en 1492. À son tour, Vasco de Gama tente de gagner l'Inde en contournant l'Afrique (1498). Pour sa part, Magellan (1520) découvre un passage vers le Pacifique en longeant le continent du Nouveau Monde. Quelques années plus tard, cherchant une voie vers le nord, Jacques Cartier découvre l'estuaire du Saint-Laurent (1534). Cette série d'explorations ainsi que la découverte de nouveaux peuples ont une influence considérable sur la pensée et la littérature de la Renaissance.

DOCUMENTAIRE

ENCADRÉ

La peinture à la Renaissance

Au cours de la Renaissance, de nombreuses innovations vont modifier la façon de peindre, notamment la peinture à l'huile (d'origine flamande), le chevalet et la toile. On voit aussi apparaître de nouvelles techniques telles que la perspective linéaire (qui se construit à partir d'un point de fuite) et le fameux *sfumato* de Léonard de Vinci, qui donne l'illusion de la perspective par des effets de brouillard. Cette dernière technique se caractérise par l'emploi de couleurs chaudes en avant-plan et froides en arrière-plan; par un tracé net et détaillé à l'avant et flou à l'arrière; et par l'application de glacis, soit plusieurs fines couches de peinture translucide et légèrement colorée.

Léonard de Vinci (1452-1519). *La Joconde* (1503-1505). Musée du Louvre, Paris, France.

Dès 1530, François Ier invite des artistes italiens (Rosso, Fiorentino, le Primatice et Niccolo Dell'Abate) dans son château de Fontainebleau, où ceux-ci développent un art maniériste original et raffiné, caractérisé par des sujets mythologiques et des nus aux formes élégantes mis en scène suivant une perspective étirée. Pendant plus de vingt ans, l'école de Fontainebleau se manifeste dans l'ensemble des arts décoratifs, notamment la fresque, les stucs et la tapisserie.

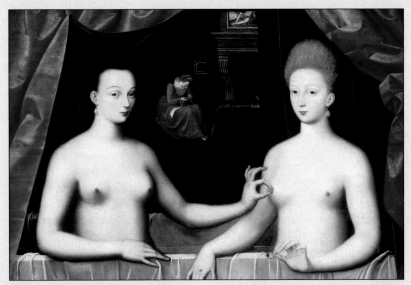

École de Fontainebleau (XVIe siècle). *Gabrielle d'Estrées et une de ses sœurs* (v. 1592). Musée du Louvre, Paris, France.

UNE ÉPOQUE DE CONTRADICTIONS

L'ouverture d'esprit et les innovations artistiques qui distinguent le XVIe siècle français s'exercent sur un fond d'intolérance et de guerres de religion. D'une part, la politique de mécénat mise de l'avant par François Ier ainsi que l'obligation pour les éditeurs de déposer à la Bibliothèque du Roy deux exemplaires de tout ce qui est imprimé[1] favorisent le développement artistique et intellectuel. De plus, le règne de ce roi marque le début de l'unification linguistique, avec l'ordonnance de Villers-Cotterêts (1539), qui fait du français la langue officielle de la France. D'autre part, à la suite de l'affaire des Placards (1534), au cours de laquelle des affiches dénonçant les abus de la messe sont placardées jusqu'sur la porte de la chambre du roi, celui-ci ordonne en représailles qu'on chasse tous ceux qui rejettent l'autorité du pape. Cette répression culmine avec le massacre de la Saint-Barthélémy (1572), au cours duquel plusieurs milliers de protestants sont tués.

Le siècle s'achève toutefois sous le signe de la réconciliation alors que le roi Henri IV, ancien chef protestant qui a dû se convertir au catholicisme pour accéder au trône, reconnaît par l'édit de Nantes (1598) la liberté de culte. Henri IV sera assassiné en 1610 par un fanatique catholique, ce qui laisse croire que la France est toujours divisée sur le plan religieux.

LA CULTURE ET LES CROYANCES À LA RENAISSANCE

La présence en Italie de tous ces immigrants érudits et de leurs précieuses bibliothèques stimule la curiosité intellectuelle et scientifique. Certains ouvrages que l'on croyait disparus refont surface à côté d'autres qui étaient jusque-là demeurés inconnus. En outre, il arrive souvent que plusieurs versions d'un même livre coexistent, une situation qui donne lieu à de véritables débats pour parvenir à déterminer l'*original*. On cherche à comprendre les raisons de ces écarts, à trouver les responsables, et les moines copistes sont souvent pointés du doigt parce qu'ils tendent à adapter selon leur goût les œuvres qu'ils transcrivent. Naît alors le désir de retourner aux sources pour redécouvrir l'Ancien Monde, grec et latin. La plupart des intellectuels qui s'intéressent à l'Antiquité vont promouvoir un nouveau système de valeurs qualifié d'*humanisme*, et qui traduit une nouvelle façon de définir le rapport de l'homme au monde.

L'HUMANISME

L'imprimerie de Gutenberg et la chute de l'Empire romain d'Orient (1453) ébranlent les fondements du savoir traditionnel. Grâce à l'imprimerie, qui permet une plus grande accessibilité au savoir, les intellectuels du temps sont amenés à s'interroger sur la validité de certains textes. Dans leur quête d'authenticité et de vérité, les humanistes vont se doter d'une méthodologie, la *philologie*, qui leur permet de retracer l'histoire des textes. Cette approche, qui nécessite la maîtrise des langues antiques (hébreu, latin et grec), va engendrer un véritable engouement

---

1. Cette pratique, qui date de 1537, est à l'origine du «dépôt légal».

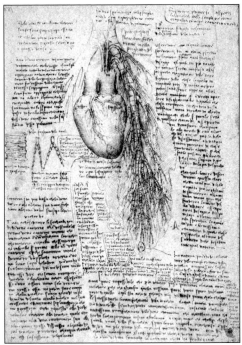

Léonard de Vinci (1452-1519). *Étude anatomique* (1500). Bibliothèque royale du château de Windsor, Royaume-Uni.

La dissection était une pratique interdite, mais cela n'a pas empêché quelques humanistes et médecins de procéder secrètement à des recherches sur des cadavres.

pour la culture de l'Antiquité alors que les savants cherchent à accumuler le plus de connaissances possible, comme s'ils voulaient rattraper le temps perdu au Moyen Âge, une époque qu'ils jugent sombre. On assiste à la formation d'académies diverses au sein desquelles se rassemblent savants, princes et bourgeois pour échanger des idées et partager les résultats de leurs recherches.

Cette effervescence intellectuelle a pour effet de bousculer bon nombre d'idées préconçues. Par exemple, les travaux de Copernic (1473-1543) sur l'héliocentrisme (le Soleil est au centre de l'univers et les planètes tournent autour) de même que ceux de Galilée[1] (1564-1642) sur la trajectoire parabolique des astres changent la façon de concevoir l'univers et amènent les humanistes à s'interroger sur la place de l'humain au milieu de ces nouvelles réalités. Cependant, toutes ces recherches et découvertes ne sont pas sans ébranler l'ordre et l'autorité de l'Église sur ces questions[2]. Une forme de méfiance s'installe entre, d'une part, les humanistes à la recherche de vérités de raison – c'est-à-dire qui peuvent être démontrées – et, d'autre part, l'Église, gardienne de la Vérité divine. L'Église se méfie entre autres choses du regard que posent les humanistes sur les textes de l'Antiquité et auxquels elle-même ne se réfère que dans le seul but de justifier la foi chrétienne. Les universités étant soumises au pouvoir du clergé, les humanistes cherchent à s'instruire autrement. À leur demande, François Ier fonde le Collège royal (1530) dont il désigne lui-même les professeurs, ce qui garantit à ces derniers une grande liberté. Le Collège royal, symbole de richesse culturelle, soulève l'enthousiasme et favorise le rayonnement de l'humanisme français.

1. L'astronome Galilée innove en mettant au point une lunette qui permet de voir les satellites de Jupiter, l'anneau de Saturne et les phases de Vénus. Ses travaux sont contestés par l'Inquisition (1633), qui l'oblige à renier ses théories, notamment celle qui confirme la rotation de la Terre. Galilée aurait alors dit: « *Eppur', si muove!* » (« Et pourtant, elle tourne! »)

2. Pour éviter d'entrer en conflit avec l'Église et l'Inquisition, de nombreux humanistes s'associent à la noblesse (princes, rois et autres aristocrates) et bénéficient d'une forme de mécénat. De plus, certains nobles ou bourgeois encourageront leurs travaux en mettant à leur disposition des ouvrages introuvables dans les bibliothèques des universités.

Dans les facultés de théologie dirigées par le clergé, on n'enseigne ni le grec ni l'hébreu et, bien entendu, toute remise en question du texte biblique est exclue. C'est dans le cercle laïque des humanistes que ces enseignements sont populaires. Cette situation va entraîner des changements sans précédent, car les théologiens n'ont pas alors la capacité de contrer les polémiques déclenchées par les humanistes. De plus, au XVIe siècle, l'université est en déclin (il en existe alors 12 en France). Le Collège royal apparaît comme le seul établissement capable d'offrir un enseignement supérieur. En outre, parce qu'il accueille une clientèle plus nombreuse et diverse, le Collège peut influencer les opinions et l'évolution des mœurs.

LA RÉFORME ET LA CONTRE-RÉFORME

Certains humanistes, dont Érasme[1] (1468-1536), revendiquent le droit de libre examen, c'est-à-dire qu'ils ne tiennent rien pour acquis. Cette conception ouvre la voie à une nouvelle approche de la religion. Mais alors que les évangélistes prônent

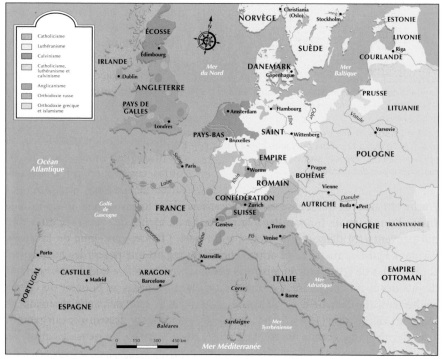

Les religions en Europe à la fin du XVIe siècle.

---

1. Ce grand humaniste fut un des seuls à pouvoir vivre de sa plume au XVIe siècle. Considéré comme le père de l'évangélisme, qui se veut un christianisme épuré et centré sur le texte des Évangiles, Érasme réussira à maintenir un équilibre entre son idéal humaniste (caractérisé par sa soif de liberté, sa recherche de connaissances et sa confiance en la nature humaine) et la foi chrétienne. L'ensemble de son œuvre reflète cette fragile union qui inspire plusieurs de ses contemporains, dont François Rabelais.

un renouveau en accord avec l'Église traditionnelle, les protestants veulent saisir cette occasion pour rompre irrémédiablement avec une institution qu'ils jugent désuète. Du côté des protestants, un mouvement s'organise, qu'on appelle la *Réforme*.

La Réforme

Depuis l'Allemagne où elle prend son essor, la Réforme s'étend dans presque toute l'Europe. Ceux qui l'appuient aspirent à une religion plus pure et plus simple, dans laquelle le croyant n'a pas besoin d'autre intermédiaire que la Bible pour pratiquer sa foi. Ce mouvement, amorcé en partie par les humanistes, sera radicalisé par certains de ses partisans, dont Martin Luther. En 1517, celui-ci affiche sur la porte d'une chapelle « 95 propositions » qui condamnent les pratiques de l'Église, dont les indulgences[1]. En 1521, Luther reçoit une lettre du Vatican par laquelle il apprend qu'il est excommunié. Loin de mettre fin à ses revendications, Luther jette la bulle[2] pontificale au feu, manifestant par ce geste son rejet de l'autorité papale. À la suite de cette querelle, le mouvement protestant gagne de nombreux partisans.

En France, le protestantisme tarde à s'organiser. Les idées générales sont connues, mais il n'y a ni chef, ni doctrine, ni organisation, et on ne fait aucune distinction entre Érasme et Luther. En 1536, Jean Calvin, un protestant d'origine française, est contraint de s'exiler en Suisse, où il commence à organiser la pensée protestante : Églises cohérentes, unies par la foi et fortement encadrées.

La Contre-Réforme catholique

L'Église catholique entend réagir promptement à la vague de la Réforme, par exemple en fondant la Compagnie de Jésus (créée par Ignace de Loyola en 1537). Les jésuites, excellents éducateurs, sont un élément clé de ce que l'on appelle alors

Michel-Ange (1475-1564). *La création d'Adam* (1511). Voûte de la chapelle Sixtine, Rome, Italie.

---

1. En 1517, le pape Léon X, ayant besoin d'argent pour les travaux de la basilique Saint-Pierre, organise la vente d'*indulgences* (indulgence : rémission de la peine qu'entraînent les péchés).
2. Document scellé par le pape, généralement, et qui contient une information importante.

la *Contre-Réforme*. Par ailleurs, l'Église n'hésite pas à se doter de moyens dissuasifs. On assiste ainsi à un retour de l'Inquisition, mandatée pour réprimer les crimes d'hérésie, et à l'instauration de l'Index, un catalogue dans lequel sont désormais recensés – après examen par un groupe chargé de vérifier leur conformité avec la doctrine catholique – tous les ouvrages dont la lecture est interdite par le Saint-Siège. Le sort de l'éditeur Dolet, condamné au bûcher en 1546 pour avoir exposé des livres prohibés, illustre l'application de ces nouveaux moyens de dissuasion.

Lors du concile de Trente (1545), les évêques réunis se penchent sur les points fondamentaux de la doctrine catholique et décident de réviser certaines institutions afin de contrer la progression de la Réforme et de redorer l'image de l'Église. Ils optent en outre pour un durcissement de la position de l'Église à l'égard des protestants et un renforcement de l'autorité papale. Enfin, en réponse à l'austérité qui caractérise la Réforme, l'Église catholique mise sur la multiplication des images, les cérémonies grandioses et l'érection d'églises et de cathédrales majestueuses.

LA LITTÉRATURE DE LA RENAISSANCE

Les bouleversements vécus par la société française à cette époque ont des réper-cussions dans tous les domaines. Ainsi, les arts, la littérature et la politique participent à la consolidation de la nation française autour d'un roi et d'une langue. Le rôle de l'écrivain s'en trouve transformé et on assiste à un effort commun sans précédent pour enrichir la langue française et la rendre plus accessible. Pour y arriver, les écrivains puisent dans la tradition orale et s'inspirent de l'Antiquité. Leur influence sur le plan politique s'affirme, car c'est à eux qu'il incombe d'enrichir le français, de le façonner pour qu'il soit digne de s'imposer comme langue d'un peuple. Par ailleurs, l'expansion de l'imprimerie a des répercussions considérables.

Premièrement, *en remplaçant le travail du moine copiste, l'imprimerie laïcise la littérature,* qui est alors investie par l'aristocratie et la bourgeoisie. Le sentiment d'appartenance qui unit la communauté de lettres transcende les différences de classes tout en assurant une plus grande variété poétique et une évolution rapide des formes narratives. Et si l'écriture aristocratique persiste dans le style courtois, sentimental et héroïque, l'écriture bourgeoise, plus réaliste, pose souvent un regard moqueur sur le monde. Les écrivains bourgeois se distinguent aussi par leurs partis pris politique et religieux, notamment dans leurs œuvres théâtrales.

En outre, *le livre étant devenu un objet personnel, la lecture publique – donc orale – est remplacée par la lecture privée et muette.* Cette situation nouvelle transforme l'écriture; on délaisse la versification pour la **prose**. De nombreux récits sont alors modernisés, c'est-à-dire mis en prose et abrégés pour répondre au goût de l'époque (on enlève les longues descriptions de batailles, les procédés épiques, etc.). Par ailleurs, les auteurs accordent une attention particulière aux sentiments et aux réactions passionnelles; ils ont en outre le souci de plaire et d'éduquer en même temps. On note aussi une plus grande rigueur logique ainsi qu'une amélioration dans les dialogues et le discours direct. C'est aussi la mode des récits brefs, qui fera naître un nouveau genre littéraire: la **nouvelle**.

DOCUMENTAIRE

ENCADRÉ

L'imprimerie en France

L'invention de l'imprimerie par Gutenberg marque la Renaissance. En France, la première presse est installée en 1470, à l'université de la Sorbonne, où elle sert à des fins didactiques. La presse d'imprimerie va toutefois rapidement sortir du contexte universitaire et se répandre dans toutes les grandes villes, notamment à Lyon qui, par sa situation géographique entre la capitale française et l'Italie, devient un important centre d'édition. Instrument de diffusion intellectuelle et politique, l'imprimerie agit comme un levier dans l'évolution des mentalités et provoque de grands changements. En plus de rendre le livre plus accessible et de promouvoir la lecture individuelle, l'imprimerie contribue à l'uniformisation des textes en rendant inutiles les nombreuses copies manuscrites qui, trop souvent, constituent autant de versions d'un même texte. Enfin, grâce à l'imprimerie, rois et bourgeois nantis

D'après Bernhard Rode (1725-1797). *Gutenberg découvre l'art de l'imprimerie à Strasbourg* (1779).

peuvent se bâtir des bibliothèques qui rivalisent avec celles des universités, ce qui a pour effet d'ébranler le prestige de celles-ci, jusqu'alors considérées comme seules garantes de la transmission du savoir.

LA NOUVELLE

Importée d'Italie, la nouvelle se rapproche du fabliau par sa thématique et se construit suivant un protocole narratif dans lequel chacun des narrateurs rassemblés en un lieu raconte à tour de rôle une histoire. Le modèle de cette approche est le *Décaméron*, de Boccace (1353), duquel s'inspire Marguerite de Navarre (1492-1549), la sœur du roi François Ier, dans son *Heptaméron*. Cette œuvre écrite entre 1542 et 1549 n'a jamais été achevée (elle devait comporter 100 nouvelles) et le titre a même été choisi par l'éditeur. L'extrait qui suit illustre bien le thème du trompeur trompé : un homme qui désirait une autre femme réussit à devenir cocu sans que sa femme s'en rende compte.

Marguerite de Navarre (1492-1549)

Heptaméron — Huitième nouvelle

En la comté d'Alès y avait un homme, nommé Bornet,
qui avait épousé une honnête femme de bien, de
laquelle il aimait l'honneur et la réputation, comme je
crois que tous les maris qui sont ici font de leurs
5   femmes. Et combien qu'il voulût que la sienne lui gar-
dât loyauté, si ne voulait-il pas que la loi fût égale à
tous deux, car il alla être amoureux de sa chambrière,
auquel change il ne gagnait que le plaisir qu'apporte quelquefois la diversité
des viandes. Il avait un voisin de pareille condition que lui, nommé Sandras,
10   tambourin[1] et couturier ; et y avait entre eux telle amitié que, hormis la femme,
n'avaient rien parti[2] ensemble. Parquoi il déclara à son ami l'entreprise qu'il
avait sur sa chambrière, lequel non seulement le trouva bon, mais aida de
tout son pouvoir à la parachever, espérant avoir part au butin. La chambrière,
qui ne s'y voulut consentir, se voyant pressée de tous côtés, l'alla dire à sa
15   maîtresse, la priant de lui donner congé de s'en aller chez ses parents, car
elle ne pouvait plus vivre en ce tourment. La maîtresse, qui aimait bien fort
son mari duquel souvent elle avait eu soupçon, fut bien aise d'avoir gagné
ce point sur lui, et de lui pouvoir montrer justement qu'elle en avait eu doute.
Dit à sa chambrière : « Tenez bon, m'amie, tenez peu à peu bons propos à mon
20   mari, et puis après lui donnez assignation de coucher avec vous en ma garde-
robe. Et ne faillez à me dire la nuit qu'il devra venir, et gardez que nul n'en
sache rien. » [...] Mais sa femme, qui avait renoncé à l'autorité de commander
pour le plaisir de servir, s'était mise en la place de sa chambrière. Et reçut
son mari non comme femme, mais feignant la contenance d'une fille étonnée,
25   si bien que son mari ne s'en aperçut point.

Je ne vous saurais dire lequel était plus aise des deux, ou lui de penser
tromper sa femme, ou elle de tromper son mari. Et quand il eut demeuré avec
elle, non selon son vouloir, mais selon sa puissance qui sentait le vieux marié,
s'en alla hors de la maison où il trouva son compagnon, beaucoup plus jeune
30   et plus fort que lui. Et lui fit la fête d'avoir trouvé la meilleure robe qu'il avait
point vue. Son compagnon lui dit : « Vous savez que vous m'avez promis ? –
Allez donc vitement, dit le maître, de peur qu'elle ne se lève ou que ma femme
ait affaire d'elle. » [...] Il y demeura bien plus longuement que non pas le mari,
dont la femme s'émerveilla fort car elle n'avait point accoutumé d'avoir telles
35   nuitées. Toutefois elle eut patience, se réconfortant aux propos qu'elle avait
délibéré de lui tenir le lendemain et à la moquerie qu'elle lui ferait recevoir.
Sur le point de l'aube du jour, cet homme se leva d'auprès d'elle et, se jouant
à elle au partir du lit, lui arracha un anneau qu'elle avait au doigt, duquel son
mari l'avait épousée. [...]

---

1. Joueur de tambourin.
2. Rien à se partager.

40 Quand le compagnon fut retourné devers le maître, il lui demanda: «Et puis?»
Il lui répondit qu'il était de son opinion, et que, s'il n'eût craint le jour, encore
y fût-il demeuré. Ils se vont tous deux reposer le plus longuement qu'ils
purent; et, au matin, en s'habillant, aperçut le mari l'anneau que son compagnon avait au doigt, tout pareil de celui qu'il avait donné à sa femme en
45 mariage, et demanda à son compagnon qui le lui avait donné. Mais quand il
entendit qu'il l'avait arraché du doigt de la chambrière, fut fort étonné, et
commença à donner de la tête contre la muraille, disant: «Ha! vertudieu! me
serais-je bien fait cocu moi-même, sans que ma femme en sût rien?» Son
compagnon, pour le conforter, lui dit: «Peut-être que votre femme baille son
50 anneau en garde au soir à sa chambrière?» Mais, sans rien répondre, le mari
s'en va à la maison, là où il trouva sa femme plus belle, plus gorgiase[1] et
plus joyeuse qu'elle n'avait accoutumé, comme celle qui se réjouissait d'avoir
sauvé la conscience de sa chambrière, et d'avoir expérimenté jusqu'au bout
son mari sans rien y perdre que le dormir d'une nuit. Le mari, la voyant avec
55 ce bon visage, dit en soi-même: «Si elle savait ma bonne fortune, elle ne me
ferait pas si bonne chère.» Et en parlant à elle plusieurs propos, la prit par la
main et avisa qu'elle n'avait point l'anneau qui jamais ne lui partait du doigt.
Dont il devint tout transi, et lui demanda en voix tremblante: «Qu'avez-vous
fait de votre anneau?» Mais elle, qui fut bien aise qu'il la mettait au propos
60 qu'elle avait envie de lui tenir, lui dit: «Oh, le plus méchant de tous les
hommes! À qui est-ce que vous le cuidez[2] avoir ôté? Vous pensiez bien que
ce fût à ma chambrière, pour l'amour de laquelle avez dépendu plus de deux
parts de vos biens, que jamais vous ne fîtes pour moi. Car, à la première fois
que vous y êtes venu coucher, je vous ai jugé tant amoureux d'elle qu'il n'était
65 possible de plus. Mais après que vous fûtes sailli dehors et puis encore
retourné, semblait que vous fussiez un diable sans ordre ni mesure. [...] Ce
que j'ai fait a été pour vous retirer de votre malheurté[3], afin que, sur notre
vieillesse, nous vivions en bonne amitié et repos de conscience. [...]» Qui fut
bien désespéré, ce fut ce pauvre mari; voyant sa femme tant sage, belle et
70 chaste avoir été délaissée de lui pour une qui ne la valait pas et, qui pis est,
avait été si malheureux que de la faire méchante sans son su, et que faire
participant un autre au plaisir qui n'était que pour lui seul, se forgea en lui-
même les cornes de perpétuelle moquerie.

[...]

Sous l'impulsion de Marguerite de Navarre, qui est dotée d'un esprit très fin
où se mêlent raison et mystique, on assiste par ailleurs, à partir de 1540, à une
sorte d'exaltation autour de l'œuvre de Platon, qui revient en force après avoir été
occulté pendant le Moyen Âge au profit d'Aristote.

---

1. Élégante.
2. Penser, croire.
3. Malheur.

DOCUMENTAIRE

L'influence de Platon

En sa qualité de protectrice et de mécène, Marguerite de Navarre a aidé à faire connaître le platonisme. Celui-ci se manifeste de deux façons, soit par la parution de nombreux commentaires et éditions ainsi que par les réflexions platoniciennes sur la beauté, l'amour et l'inspiration poétique. On retient surtout l'idée que l'âme est emprisonnée dans le corps et que l'idéal à atteindre se trouve dans l'union de l'âme et non du corps, trop impur. Les adeptes du platonisme cherchent donc à dominer leurs passions et leurs instincts charnels et aspirent à une union purement spirituelle. On parle alors d'« amour platonique ».

Pendant que le platonisme exerce son attrait sur les intellectuels français, une nouvelle pensée se répand, le *rationalisme,* qui oppose les droits de la raison et les exigences de la foi. Ce mouvement va influencer de nombreux auteurs, parmi lesquels Michel de Montaigne.

Raphaël (1483-1520). *L'école d'Athènes* (1511). Musée du Vatican, Rome, Italie.

LE ROMAN

Bien que la nouvelle soit fort populaire, le roman n'est pas en reste. La vivacité de ce genre littéraire se manifeste notamment dans l'œuvre de François Rabelais (v. 1484-1553), où l'humour grivois se mêle à des préoccupations humanistes. C'est sous l'anagramme d'Alcofribas Nasier que paraît *Pantagruel* (1532), le premier roman de Rabelais. Cette œuvre, qui raconte les aventures d'un géant, parodie les romans de chevalerie. On peut y suivre le parcours typique du héros : sa naissance fabuleuse, son éducation, puis ses actes héroïques. *Pantagruel* connaît un tel succès que Rabelais en écrit une suite en 1534, *Gargantua,* l'histoire du père de Pantagruel.

Dans l'extrait de *Pantagruel* que nous présentons se trouve exposé l'idéal de l'enseignement humaniste. Ainsi, aux disciplines traditionnelles s'ajoutent des disciplines plus humanistes telle l'histoire, qui remplace la dialectique. De plus, dans sa quête de connaissance, l'apprenant est invité à maîtriser les langues anciennes grâce auxquelles il pourra lire les textes sacrés dans leur langue d'origine, ce qui apparaît révolutionnaire.

L'appétit démesuré des géants de Rabelais n'a d'égal que l'immense soif de connaissance des humanistes, qui s'intéressent à la littérature et au langage plus que quiconque avant eux. Inspirée de la tradition orale, du conte et de la farce du Moyen Âge, l'œuvre de Rabelais, dont le propos vise souvent à instruire le lecteur, rassemble toutes les caractéristiques d'une littérature didactique. Sur le plan linguistique, la contribution de Rabelais à l'enrichissement de la langue française transparaît sur les plans du vocabulaire, de la graphie (qu'il cherche à rapprocher de l'étymologie plutôt que de la phonétique) ainsi que de l'utilisation des cédilles, des virgules et des majuscules.

ŒUVRE — François Rabelais (v. 1484-1553)

Pantagruel – Chapitre VIII

Très cher fils,

[...] C'est pourquoi, mon fils, je t'engage à employer ta jeunesse à bien profiter en savoir et en vertu. Tu es à Paris, tu as ton précepteur Épistémon[1]: l'un par
5 un enseignement vivant et oral, l'autre par de louables exemples peuvent te former. J'entends et je veux que tu apprennes parfaitement les langues: d'abord le grec, comme le veut Quintilien[2], en second lieu le latin, puis l'hébreu pour l'Écriture sainte, le chaldéen et l'arabe pour la même raison, et que tu formes ton style sur celui de Platon pour le grec, de Cicéron[3] pour le latin. Qu'il n'y ait
10 pas de faits historiques que tu ne gardes présents à la mémoire, ce à quoi t'aidera la description de l'univers par les auteurs qui ont traité ce sujet.

Quant aux arts libéraux, géométrie, arithmétique et musique, je t'en ai donné le goût quand tu étais encore petit, à cinq ou six ans; continue: de l'astronomie, apprends toutes les règles. Mais laisse-moi l'astrologie divinatoire et l'art
15 de Lullius[4], qui ne sont qu'abus et futilités. Du droit civil, je veux que tu saches par cœur les beaux textes et me les confères[5] avec philosophie.

Quant à la connaissance de la nature, je veux que tu t'y appliques avec soin: qu'il n'y ait mer, rivière, ni source dont tu ne connaisses les poissons; tous les oiseaux de l'air, tous les arbres, arbustes, buissons des forêts, toutes les
20 herbes de la terre, tous les métaux cachés au ventre des abîmes, les pierreries de toutes les contrées d'Orient et du Midi, que rien ne te soit inconnu.

Puis, relis soigneusement les livres des médecins grecs, arabes et latins, sans mépriser les talmudistes et les cabalistes, et, par de fréquentes dissections, acquiers une parfaite connaissance de cet autre monde qu'est l'homme. Et
25 quelques heures par jour, commence à lire l'Écriture sainte, d'abord en grec le

---

1. Rabelais a créé le nom de ce personnage en se basant sur un mot grec (*épistémé*) qui signifie «savoir, science».
2. Philosophe latin du Ier siècle.
3. Ancien homme politique et auteur romain (106 av. J.-C. – 43 av. J.-C.).
4. Raymond Lulle fut un alchimiste qui vécut au XIIIe siècle.
5. Ce verbe signifie «comparer», «rapprocher», «examiner pour faire ressortir un lien».

NouveauTestament et les Épîtres des apôtres, puis en hébreu l'AncienTestament. En somme, que je voie en toi un abîme de science, car maintenant que tu deviens homme et te fais grand, il te faudra quitter la tranquillité et le repos de l'étude et apprendre l'art de la chevalerie et les armes pour défendre ma
30 maison et secourir nos amis dans toutes leurs difficultés contre les attaques des fauteurs de troubles. Et je veux que bientôt tu mesures tes progrès : pour cela, tu ne pourras mieux faire que de te soutenir des discussions publiques sur tous les sujets, envers et contre tous, et de fréquenter les gens lettrés tant à Paris qu'ailleurs.

35 Mais parce que, selon le sage Salomon[1], la sagesse n'entre pas dans une âme méchante et que science sans conscience n'est que ruine de l'âme, il te faut servir, aimer et craindre Dieu et en lui mettre toutes tes pensées et tout ton espoir, et par une foi faite de charité, t'unir à lui de façon à n'en être jamais séparé par le péché. Méfie-toi des abus du monde. Ne t'adonne pas à des
40 choses vaines, car cette vie est transitoire, mais la parole de Dieu demeure éternellement. Sois serviable à ton prochain et aime-le comme toi-même. Révère tes précepteurs, fuis la compagnie de ceux auxquels tu ne veux point ressembler, et ne reçois pas en vain les grâces que Dieu t'a données. Et quand tu verras que tu as acquis tout le savoir qu'on acquiert là-bas, reviens vers
45 moi afin que je te voie et que je te donne ma bénédiction avant de mourir.

Mon fils, que la paix et la grâce de Notre-Seigneur soient avec toi, amen. D'Utopie[2], ce dix-sept mars.

Ton père,
Gargantua.

Gargantua – Chapitre XXVII

[...] En l'abbaye était alors un moine cloîtré, nommé Frère Jean des Entommeures, jeune, gaillard, pimpant, enjoué, bien adroit, hardi, aventureux, délibéré, haut, maigre, bien fendu de gueule, bien avantagé en nez, beau dépêcheur d'heures[3], beau débrideur de messes[4], beau décrotteur de vigiles[5],
5 pour tout dire sommairement un vrai moine si jamais il en fut depuis que le monde moinant moina de moinerie ; au reste clerc jusqu'aux dents en matière de bréviaire[6].

Celui-ci, entendant le bruit que faisaient les ennemis par le clos de leur vigne, sortit pour voir ce qu'ils faisaient, et s'apercevant qu'ils vendangeaient leur

---

1. Roi d'Israël qui était réputé très sage. Dans la Bible, il est le fils du roi David.
2. Rabelais fait ici allusion à l'ouvrage *Utopie* de Thomas More (1478-1535), un humaniste anglais.
3. Celui qui expédie à la hâte les heures de lecture du texte sacré.
4. Qui dit la messe à toute vitesse.
5. Qui se débarrasse des vigiles (la veille d'une fête importante, mais peut aussi signifier celui qui garde pendant la nuit).
6. Livre renfermant les formules de prières.

10 clos sur lequel reposait leur boisson pour toute l'année, retourne au chœur de
l'église, où étaient les autres moines, tous étonnés comme fondeurs de cloches,
et quand il les vit chanter *Ini nim, pe, ne, ne, ne, ne, ne, ne, tum, ne, num,*
num, ini, i, mi, i, mi, co, o, ne, no, o, o, ne, no, ne, no, no, no, rum, ne, num,
num: « C'est, dit-il, bien chié chanté ! Vertus Dieu, que nous chantez-vous: Adieu
15 paniers, vendanges sont faites ? Je me donne au diable s'ils ne sont en notre
clos, et si bien coupent et ceps et raisins qu'il n'y aura, par le corps Dieu ! rien
à grapiller[1] dedans pour quatre ans. Ventre saint Jacques ! que boirons-nous
cependant, nous autres pauvres diables ? Seigneur Dieu, *da mihi potum !* » [...]

« Écoutez, messieurs, vous autres qui aimez le vin, le corps Dieu, suivez-moi !
20 [...] »

Ce disant, il mit bas son grand habit et se saisit du bâton de la croix, qui était
en cœur de cormier[2], long comme une lance, rond à plein poing, et quelque
peu semé de fleurs de lys, toutes presque effacées. [...]

Aux uns il écrabouillait la cervelle, aux autres il rompait bras et jambes, aux
25 autres il déboîtait les spondyles[3] du cou, aux autres il fracassait les reins, leur
abattait le nez, pochait les yeux, fendait les mandibules[4], enfonçait les dents
en la gueule, écroulait les omoplates, meurtrissait les jambes, dégondait[5] les
hanches, débezillait les faucilles.

Si quelqu'un voulait se cacher entre les ceps plus épais, il lui froissait toute
30 l'arête du dos et l'éreintait comme un chien.

Si un autre voulait se sauver en fuyant, il lui faisait voler la tête en pièces par
la commissure lambdoïde[6]. Si quelqu'un grimpait en un arbre, pensant y être
en sûreté, de son bâton il l'empalait par le fondement[7].

[...] Les uns mouraient sans parler, les autres parlaient sans mourir. Les uns
35 mouraient en parlant, les autres parlaient en mourant. Les autres criaient à
haute voix: « Confession ! Confession ! *Confiteor ! Miserere ! In manus !*[8] » [...]

Mais, quand ceux qui s'étaient confessés voulurent sortir par une brèche, le
moine les assommait de coups, disant: « Ceux-ci sont confessés et repentants,
et ont gagné les pardons ; ils s'en vont en paradis, aussi droit comme une faucille
40 et comme est le chemin de Faye. » Ainsi, par sa prouesse, furent déconfits
tous ceux de l'armée qui étaient entrés dedans le clos, jusqu'au nombre de
treize mille six cens vingt-deux, sans les femmes et les petits enfants, cela
s'entend toujours. [...]

---

1. Prendre les grappes de raisins.
2. Sorte de bois très dur.
3. Vertèbres.
4. Mâchoires.
5. Enlever de leur gond, de ce qui les retient.
6. Par la suture occipito-pariétale, c'est-à-dire une des parties du crâne.
7. Le derrière, l'anus.
8. « Je confesse, ayez pitié, entre vos mains. »

DOCUMENTAIRE

Rabelais, qui a donné plus de 100 mots à la langue française, s'appuyait souvent sur les termes grecs ou latins pour créer ses néologismes. En voici quelques-uns :

agriculture	dithyrambe	perpendiculaire
amnistie	encyclopédie	sarcasme
antiquaire	misanthrope	sympathie
archétype	mythologie	thème
atome	paragraphe	titanique
cannibale	parasite	
catastrophe	paroxysme	

De plus, on lui doit plusieurs maximes qui sont utilisées encore de nos jours :

«Toujours apprendre, fût-ce d'un sot.»

« L'habit ne fait pas le moine.»

« L'appétit vient en mangeant, la soif s'en va en buvant.»

«Ignorance est mère de tous les maux.»

LA POÉSIE

Au Moyen Âge, le poète était vu comme un artisan qui maîtrisait un art, une technique. À la Renaissance, on le perçoit plutôt comme un être inspiré, qui a accès à des réalités cachées. La poésie devient porteuse d'une connaissance initiatique, et le rôle de l'artiste se transforme peu à peu. Vers la fin du XVe siècle et au début du XVIe siècle, des gens riches cherchent à s'entourer d'artistes et deviennent mécènes. En contrepartie, l'artiste fait étalage de sa virtuosité dans les louanges qu'il rédige à l'intention de son bienfaiteur. Les œuvres de ces rhétoriqueurs, ainsi qu'on les appelle, sont souvent des commandes pour de grandes occasions telles que les mariages et les anniversaires. Dans ces poèmes de circonstance où la virtuosité du style prime le contenu, les poètes privilégient la rime, la césure et la versification. Quant aux formes, ils utilisent le rondeau, la ballade et le chant royal, en plus de développer l'épître et l'épigramme.

Après la période des grands rhétoriqueurs, qui s'étend de 1450 à 1530, les poètes continuent de travailler la forme, mais cette nouvelle génération se démarque surtout par les sujets auxquels elle s'intéresse. Clément Marot (1496-1544), fils d'un grand rhétoriqueur, s'inscrit dans cette évolution en poursuivant une œuvre plus personnelle. Encouragé par Marguerite de Navarre, la sœur du roi François Ier, Marot innove par sa poésie à la fois belle et intelligente, et modernise la poésie médiévale en imitant la forme antique et le sonnet italien. Par ailleurs, on assiste à la création de nouvelles formes issues des académies et des salons littéraires. C'est le cas du blason, ce jeu littéraire qui consiste à décrire un élément très précis tel qu'un objet ou une partie du corps. Souvent écrit en octosyllabes ou en décasyllabes, le blason est construit comme si l'auteur s'adressait à l'objet en question (apostrophe).

Clément Marot (1496-1544)

ŒUVRE

Le beau tétin

Tétin refait, plus blanc qu'un œuf,
Tétin de satin blanc tout neuf,
Tétin qui fais honte à la rose,
Tétin plus beau que nulle chose
5 Tétin dur, non pas Tétin, voire,
Mais petite boule d'ivoire,
Au milieu duquel est assise
Une fraise, ou une cerise
Que nul ne voit, ni touche aussi,
10 Mais je gage qu'il est ainsi :
Tétin donc au petit bout rouge,
Tétin qui jamais ne se bouge,
Soit pour venir, soit pour aller,
Soit pour courir, soit pour baller[1] :
15 Tétin gauche, Tétin mignon,
Toujours loin de son compagnon,
Tétin qui portes témoignage
Du demeurant du personnage,
Quand on te voit, il vient à maint
20 Une envie dedans les mains

De te tâter, de te tenir :
Mais il se faut bien contenir
D'en approcher, bon gré ma vie,
Car il viendrait une autre envie.
25 Ô Tétin, ne[2] grand, ne petit,
Tétin meur[3], Tétin d'appétit,
Tétin qui nuit et jour criez :
Mariez-moi tôt, mariez !
Tétin qui s'enfles, et repousses
30 Ton gorgias[4] de deux bons pouces,
À bon droit heureux on dira
Celui qui de lait t'emplira,
Faisant d'un Tétin de pucelle,
Tétin de femme entière et belle.

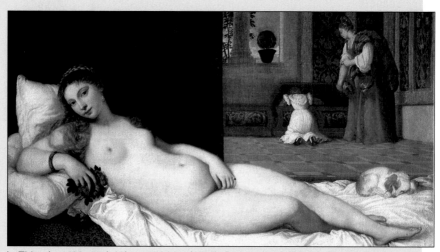

Le Titien (v. 1488-1576). *Vénus d'Urbino* (1538). Galerie des Offices de Florence, Italie.

1. Danser (à l'occasion d'un bal).
2. Ni.
3. Mûr.
4. Chemisette.

Vers 1530, d'autres poètes, tels Maurice Scève (v. 1500-v. 1560), Pernette du Guillet (v. 1520-1545) et Louise Labé (v. 1524-1566), associés à l'école lyonnaise[1], se démarquent par des œuvres dans lesquelles transparaît l'influence italienne et plus particulièrement celle de Pétrarque (1304-1374), considéré comme le premier grand humaniste italien. Dans son œuvre la plus connue, *Canzoniere*, le poète célèbre son amour pour Laure, un amour qu'il décrit comme une souffrance et une absence, alors que la beauté féminine apparaît comme le reflet terrestre d'un idéal divin. Parmi les pétrarquistes se trouve Maurice Scève, qui exerce un ascendant sur plusieurs poètes qui le côtoient. Sa poésie est complexe et hermétique, comme en fait foi le titre de son œuvre principale, *Délie*, une anagramme de *L'idée*.

De son côté, Louise Labé, surnommée la « Belle Cordière », se révèle comme l'un des plus grands poètes de la Renaissance. Son œuvre est à la fois personnelle (avec ses descriptions du déchirement amoureux) et revendicatrice (elle refuse d'être perçue comme un être inférieur et invite les femmes à participer au mouvement humaniste).

Dans la poésie de Louise Labé, c'est au tour de l'homme d'être l'objet du désir, ce qui provoque un véritable scandale. D'aucuns, dont Calvin, voient plutôt dans cette œuvre, où s'expriment la joie de vivre et le malheur d'aimer, le reflet de la vie du poète. Quoi qu'il en soit, les poètes de l'école lyonnaise sont loin d'avoir autant d'influence sur la poésie de leur époque que le groupe de la Pléiade.

ŒUVRE — Louise Labé (v. 1524-1566)

Sonnets

Je vis, je meurs

Je vis, je meurs; je me brûle et me noie;
J'ai chaud extrême en endurant froidure:
La vie m'est et trop molle et trop dure.
J'ai grands ennuis entremêlés de joie.

5   Tout à un coup je ris et je larmoie,
Et en plaisir maint grief tourment j'endure;
Mon bien s'en va, et à jamais il dure;
Tout en un coup je sèche et je verdoie.

Ainsi Amour inconstamment me mène;
10 Et, quand je pense avoir plus de douleur,
Sans y penser je me trouve hors de peine.

Puis, quand je crois ma joie être certaine,
Et être au haut de mon désiré heur[2],
Il me remet en mon premier malheur.

---

1. L'école lyonnaise est le nom que l'on donne à un groupe de poètes habitant la ville de Lyon. Leurs œuvres sont marquées par l'influence italienne et la poésie de Clément Marot.
2. Bonheur, joie.

Diane

Diane étant en l'épaisseur d'un bois,
Après avoir mainte bête assénée,
Prenait le frais, de Nymphes[1] couronnée.
J'allais rêvant, comme fais maintes fois,

5 Sans y penser, quand j'ouïs une voix
Qui m'appela, disant : Nymphe étonnée,
Que ne t'es-tu vers Diane tournée ?
Et, me voyant sans arc et sans carquois[2] :

Qu'as-tu trouvé, ô compagne, en ta voie,
10 Qui de ton arc et flèches ait fait proie ?
— Je m'animai, réponds-je, à un passant,

Et lui jetai en vain toutes mes flèches
Et l'arc après ; mais lui, les ramassant
Et les tirant, me fit cent et cent brèches.

Baise m'encor

Baise m'encor, rebaise-moi et baise ;
Donne m'en un de tes plus savoureux,
Donne m'en un de tes plus amoureux :
Je t'en rendrai quatre plus chauds que braise.

5 Las ! te plains-tu ? Çà, que ce mal j'apaise,
En t'en donnant dix autres doucereux.
Ainsi, mêlant nos baisers tant heureux,
Jouissons-nous l'un de l'autre à notre aise.

Lors double vie à chacun en suivra.
10 Chacun en soi et son ami vivra.
Permets m'Amour penser quelque folie :

Toujours suis mal, vivant discrètement,
Et ne me puis donner contentement
Si hors de moi ne fais quelque saillie[3].

École de Fontainebleau.
Diane chasseresse (milieu
du XVIe siècle). Musée
du Louvre, Paris, France.

*Dans la mythologie grecque,
Diane est une déesse qu'on ne
peut voir sans châtiment. Un
chasseur tente de transgresser
cet interdit et est transformé
en cerf puis mangé par ses
propres chiens. Ce mythe était
très populaire dans le Sud
de la France.*

1. Déesse de rang inférieur, qui hante les forêts, les rivières et les montagnes.
2. Étui à flèches.
3. Geste spontané (mais désigne aussi l'accouplement des animaux domestiques).
4. Le nom « Pléiade », qui tire son origine d'une constellation composée de sept étoiles, est utilisé
   par Ronsard à partir de 1556. Le groupe d'amis, composé de Pierre de Ronsard, Joachim du Bellay,
   Pontus de Tyard, Jean-Antoine de Baïf, Jacques Peletier du Mans, Remy Belleau et Étienne Jodelle,
   s'était formé au collège de Coqueret, à Paris.

En 1549, Joachim du Bellay (1522-1560) publie *Deffense et illustration de la langue françoyse*. Ce manifeste poétique, qui marque les débuts de la Pléiade[4], crée une vive commotion dans les milieux littéraires. Présenté comme un manuel sur l'art poétique, il invite à célébrer la nation française. De nombreux poètes de cette génération répondront à l'appel.

Le manifeste de Du Bellay vise deux objectifs : défendre le français dans le combat qui l'oppose au latin et, afin de l'enrichir, promouvoir une littérature nationale en s'inspirant de la culture antique. Ainsi les poètes de la Pléiade s'efforcent-ils de copier les Anciens, Grecs et Latins ; ce sont les seuls auteurs qu'ils jugent dignes d'être leurs modèles, Ronsard affirmant : « l'imitation des nostres m'est tant odieuse ». Dans leur volonté d'intégrer la beauté antique à la culture française, les poètes trouvent des façons d'enrichir le français, par exemple en allant puiser dans la langue populaire certains archaïsmes et termes de métiers ou encore en recourant aux néologismes.

Joachim du Bellay (1522-1560)

ŒUVRE

Deffense et illustration de la langue françoyse
Livre II, chapitre VI

D'inventer des mots, & quelques autres choses que doit observer le poëte Françoys

En moyen français	En français actuel
[...] vouloir oter la liberté à un scavant Homme, qui voudra enrichir sa Langue, d'usurper quelquefois des Vocable non vulgaires, ce seroit retraindre notre Langaige non encor'assez riche soubz une trop plus rigoureuse Loy, que celle, que les Grecz, & Romains se sont donnée. Les quelz combien qu'ilz feussent sans comparaison, plus que nous copieux, & riches, neantmoins ont concedé aux Doctes Hommes user souvent de motz non acoutumées ès choses non accoutumées. Ne crains donques, Poëte futur, d'innover quelques termes, en un long poëme principalement, avecques modestie toutefois, analogie & jugement de l'oreille, & ne te soucie qui le treuve	Vouloir ôter la liberté à un savant homme, qui voudra enrichir sa langue, d'usurper quelquefois des vocables non vulgaires, ce serait retraindre notre langage, non encore assez riche, sous une trop plus rigoureuse loi que celle que les Grecs et les Romains se sont donnée. Lesquels, combien qu'ils fussent sans comparaison plus que nous copieux et riches, néanmoins ont concédé aux doctes hommes user souvent de mots non accoutumés ès choses non accoutumées. Ne crains donc, poète futur, d'innover quelque terme en un long poème, principalement, avec modestie toutefois, analogie et jugement de l'oreille, et ne te soucie qui le trouve bon ou mauvais : espérant

Les numéros de ligne apparaissant dans le texte : 5, 10, 15.

bon ou mauvais : esperant que la pos- 20 que la postérité l'approuvera, comme
terité l'approuvera, comme celle qui celle qui donne foi aux choses dou-
donne foy aux choses douteuses, teuses, lumière aux obscures, nou-
lumiere aux obscures, nouveauté aux veauté aux antiques, usage aux non
antiques, usaige aux non accoutu- accoutumées, et douceur aux âpres
mées, & douceur aux apres & rudes. 25 et rudes.

À partir de 1550, la plupart des poètes adhèrent aux idées défendues par le groupe de la Pléiade. Leur approche propose une réflexion sur l'art et sur l'acte d'écrire qui les amène à s'interroger sur le rôle du poète et sur sa place dans la société. Leurs poésies ont pour thèmes l'amour, le temps qui passe[1], la terre natale, la mythologie et l'Antiquité.

Attiré par l'Italie et Rome, lieu mythique qui a vu naître tant de chefs-d'œuvre, Du Bellay y séjourne quatre longues années au cours desquelles il écrit sur l'exil et le mal du pays, ce qui lui vaudra ultérieurement d'être considéré comme un poète de l'exil. Mais au-delà de ce thème, il faut aussi voir dans les poèmes présentés ci-dessous l'illustration du but que se fixe le groupe de la Pléiade, qui est d'égaler en prestige la culture antique en s'inspirant aussi de l'héritage français.

ŒUVRE

Joachim du Bellay (1522-1560)

Les regrets

Heureux qui, comme Ulysse...

Heureux qui, comme Ulysse[2], a fait un beau voyage,
Ou comme celui-là qui conquit la toison[3],
Et puis est retourné, plein d'usage et raison,
Vivre entre ses parents le reste de son âge !

5 Quand reverrai-je, hélas, de mon petit village
Fumer la cheminée, et en quelle saison
Reverrai-je le clos de ma pauvre maison,
Qui m'est une province, et beaucoup davantage ?

Plus me plaît le séjour qu'ont bâti mes aïeux,
10 Que des palais romains le front audacieux,
Plus que le marbre dur me plaît l'ardoise fine,

---

1. La question du temps est souvent à lier au *carpe diem* d'Horace (65 av. J.-C. – 8 av. J.-C.). On peut traduire cette expression par « cueille le jour sans te soucier du lendemain ». La postérité s'en est plutôt servie comme d'une incitation à « saisir l'instant », dans une perspective de satisfaction immédiate et sans conséquence, ce qui fait fi de toute la discipline de vie qui était rattachée à ce concept.
2. Personnage de l'*Odyssée* d'Homère (IXe siècle av. J.-C.).
3. Allusion à Jason dans la mythologie grecque.

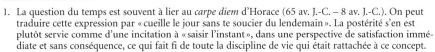

Plus mon Loire gaulois, que le Tibre latin,
Plus mon petit Liré[1], que le mont Palatin[2],
Et plus que l'air marin la douceur angevine.

Je me ferai savant...

«Je me ferai savant en la philosophie,
En la mathématique et médecine aussi;
Je me ferai légiste, et, d'un plus haut souci,
Apprendrai les secrets de la théologie;

5   Du luth et du pinceau j'ébatterai ma vie,
De l'escrime et du bal». Je discourais ainsi
Et me vantais en moi d'apprendre tout ceci,
Quand je changeai la France au séjour d'Italie.

Ô beaux discours humains! Je suis venu si loin
10   Pour m'enrichir d'ennui, de vieillesse et de soin,
Et perdre en voyageant le meilleur de mon âge.

Ainsi le marinier souvent, pour tout trésor,
Rapporte des harengs en lieu de lingots d'or,
Ayant fait comme moi un malheureux voyage.

Le plus influent parmi les poètes de cette époque est sans contredit Pierre de Ronsard (1524-1585), surnommé «le prince des poètes». Même s'il écrit beaucoup sur commande (des hymnes, des discours, etc.), son œuvre personnelle est aussi très riche. Souvent associé à la «poésie d'amour» en raison des nombreux poèmes qu'il dédie à des femmes, Ronsard célèbre la beauté de la langue française et se démarque de ses contemporains tant par le raffinement de son style que par la très grande variété de son œuvre.

ŒUVRE

Pierre de Ronsard (1524-1585)

Mignonne, allons voir si la rose...

Mignonne, allons voir si la rose
Qui ce matin avait déclose
Sa robe de pourpre au soleil,
5   A point perdu cette vêprée[3]
Les plis de sa robe pourprée,
Et son teint au vôtre pareil.

---

1. Village natal de Du Bellay.
2. Colline de Rome.
3. Le soir.

Las ! voyez comme en peu d'espace,
Mignonne, elle a dessus la place
Las ! las ses beautés laissé choir !
10 Ô vraiment marâtre[1] Nature,
Puisqu'une telle fleur ne dure
Que du matin jusques au soir !

Donc, si vous me croyez, mignonne,
Tandis que votre âge fleuronne
15 En sa plus verte nouveauté,
Cueillez, cueillez votre jeunesse :
Comme à cette fleur la vieillesse
Fera ternir votre beauté.

Quand vous serez bien vieille...

Quand vous serez bien vieille, au soir, à la chandelle,
Assise auprès du feu, dévidant[2] et filant,
Direz, chantant mes vers, en vous émerveillant :
« Ronsard me célébrait du temps que j'étais belle. »

5 Lors, vous n'aurez servante oyant telle nouvelle,
Déjà sous le labeur à demi sommeillant,
Qui au bruit de Ronsard ne s'aille réveillant,
Bénissant votre nom de louange immortelle.

Je serai sous la terre et fantôme sans os :
10 Par les ombres myrteux[3] je prendrai mon repos :
Vous serez au foyer une vieille accroupie,

Regrettant mon amour et votre fier dédain.
Vivez, si m'en croyez, n'attendez à demain :
Cueillez dès aujourd'hui les roses de la vie.

Je n'ai plus que les os...

Je n'ai plus que les os, un squelette je semble,
Décharné, dénervé, démusclé, dépoulpé[4],
Que le trait de la mort sans pardon a frappé,
Je n'ose voir mes bras que de peur je ne tremble.

5 Apollon et son fils deux grands maîtres ensemble,
Ne me sauraient guérir, leur métier m'a trompé,
Adieu plaisant soleil, mon œil est étoupé[5],
Mon corps s'en va descendre où tout se désassemble.

Quel ami me voyant en ce point dépouillé
10 Ne remporte au logis un œil triste et mouillé,
Me consolant au lit et me baisant la face,

En essuyant mes yeux par la mort endormis ?
Adieu chers compagnons, adieu mes chers amis,
Je m'en vais le premier vous préparer la place.

---

1. Méchante.
2. Mettant en pelote.
3. Un myrte est un arbre.
4. Sans la moelle.
5. Bouché.

LE THÉÂTRE

Le théâtre de la Renaissance, dominé par la comédie, s'inspire aussi largement de la commedia dell'arte, importée d'Italie, ainsi que des mystères, ce genre théâtral d'origine médiévale qui met en scène des sujets religieux. Le mystère évolue vers des sujets antiques (destruction de Troie, retour d'Ulysse), puis cède graduellement la place au burlesque, avec ses parodies et travestissements, que l'Église s'empresse de condamner et qui sera interdit à partir de 1548 par le parlement de Paris. Enfin, avec la tragédie, le théâtre reflète le même engouement que la poésie pour l'Antiquité (entre autres avec les pièces de Pierre de Ronsard et de Robert Garnier), mais il faut attendre le siècle suivant pour le voir acquérir ses lettres de noblesse.

L'ESSAI

À travers les expériences que supposent les essais, le lecteur est invité à suivre le mouvement de la pensée de l'auteur. Ainsi, conscient du fait que la lecture est désormais une activité intime, Michel de Montaigne (1533-1592), dans ses *Essais*, s'adresse en ces termes au lecteur : «C'est icy un livre de bonne foy, lecteur. Il t'avertit dès l'entrée, que je ne m'y suis proposé aucune fin, que domestique et privée, car c'est moy que je peins.»

Dans son *Apologie de Raymond Sebond*, Montaigne s'attaque à tous ceux qui pensent savoir. Selon lui, l'homme est prisonnier du langage, et toute connaissance «s'achemine en nous par nos sens; ce sont nos maîtres». Au «je sais que je ne sais pas» de Socrate, Montaigne oppose son «Que sais-je?», préférant douter de tout dans un scepticisme radical plutôt que de se complaire dans de fausses certitudes.

Au sujet de l'éducation, Montaigne oppose le jugement et la connaissance véritable à la mémorisation sans âme.

Montaigne, pour qui la vie sociale n'est qu'un «fard», une «piperie» et un «masque», préfère vivre à l'écart d'un monde qu'il juge dangereux afin de mieux poursuivre ses expérimentations qui le conduisent à

Arcimboldo (1530-1593).
Le bibliothécaire (v. 1566).
Skoklosters Slott, Balsta, Suède.

Michel de Montaigne (1533-1592)

ŒUVRE

Essais – Livre 1

De l'instruction des enfants

Le gain de notre étude, c'est en être devenu meilleur et plus sage.

C'est, disait Épicharme[1], l'entendement qui voit et qui ouït, c'est l'entendement qui approfite tout, qui dispose tout, qui agit, qui domine et qui règne : toutes
5   autres choses sont aveugles, sourdes et sans âme. Certes, nous le rendons servile et couard, pour ne lui laisser la liberté de rien faire de soi. Qui demanda jamais à son disciple ce qu'il lui semble de la Rhétorique et de la Grammaire de telle ou telle sentence de Cicéron[2] ? On nous les plaque en la mémoire toutes empennées, comme des oracles[3] où les lettres et les syllabes sont de la
10   substance de la chose. Savoir par cœur n'est pas savoir : c'est tenir ce qu'on a donné en garde à sa mémoire. Ce qu'on sait droitement, on en dispose, sans regarder au patron, sans tourner les yeux vers son livre. Fâcheuse suffisance, qu'une suffisance pure livresque ! Je m'attends qu'elle serve d'ornement, non de fondement, suivant l'avis de Platon, qui dit la fermeté, la foi, la sincérité être
15   la vraie philosophie, les autres sciences et qui visent ailleurs, n'être que fard[4].

une réflexion sur lui-même. Inlassablement, il continue de préciser ses idées et de les commenter, sans jamais modifier ce qui est déjà écrit. Cette introspection finit par lui révéler la vanité de la raison, qui ne permet pas à l'homme d'atteindre la vérité. Certains diront que seule la foi permet de l'atteindre, et Montaigne est de cet avis lorsqu'il écrit : « Je juge aussi qu'à une chose si divine et si hautaine et surpassant de si loing l'humaine intelligence, comme est cette vérité de laquelle il a pleu à la sacro-sainte bonté de Dieu de nous illuminer, il est bien besoin qu'il nous porte encore son secours d'une faveur extraordinaire et privilégiée, pour la pouvoir concevoir et loger en nous… C'est la foy seule qui embrasse vivement et certainement les hauts mystères de nostre religion. »

Un certain nombre d'intellectuels voient dans le scepticisme de Montaigne une défaite de la raison. C'est pourquoi, cherchant à effacer cet échec, les penseurs du siècle suivant (Blaise Pascal et René Descartes entre autres) se tourneront vers la raison, qu'ils tenteront d'associer à la croyance.

---

1. Ancien poète comique grec (v. 540 av. J.-C. – v. 450 av. J.-C.).
2. Ancien homme politique et auteur romain (106 av. J.-C. – 43 av. J.-C.).
3. Prophétie, volonté de Dieu ou des dieux.
4. Artifice, embellissement.

SYNTHÈSE La Renaissance

Les innovations linguistiques

- Le début du français moderne.
- L'enrichissement du vocabulaire grâce à des emprunts à la langue populaire, au latin et à d'autres langues (italien, espagnol, grec, etc.).
- L'apparition de nouvelles graphies (&, é, è, ê), sous l'influence de l'imprimerie ainsi que des langues grecque et latine.
- Le début de la ponctuation.
- L'ébauche d'une grammaire (copiée sur les règles du latin) et d'un lexique.
- Les balbutiements de la phonologie.

Les courants de pensée

- L'humanisme
  Une nouvelle croyance en l'humain qui se caractérise par un retour aux textes antiques : on met l'accent sur l'apprentissage des langues (grec, latin, hébreu), car il faut lire le texte original.
  Une nouvelle approche face au savoir : on distingue les vérités de foi et les vérités de raison.

- La Réforme
  Un mouvement qui rejette l'autorité papale et qui propose une nouvelle approche religieuse.
  On appelle « protestant » la personne qui adhère à cette vision où le texte de la Bible sert de seul intermédiaire entre le croyant et Dieu.

- La Contre-Réforme
  La réaction de l'Église catholique, qui se dote de moyens dissuasifs (Index et Inquisition) pour réprimer la dissidence.

Chapitre 3

Le Grand Siècle

Johannes Vermeer (1632-1675). *La jeune fille à la perle* (v. 1665-1666).
Mauritshuis, La Haye, Pays-Bas.

Le Grand Siècle au fil du temps

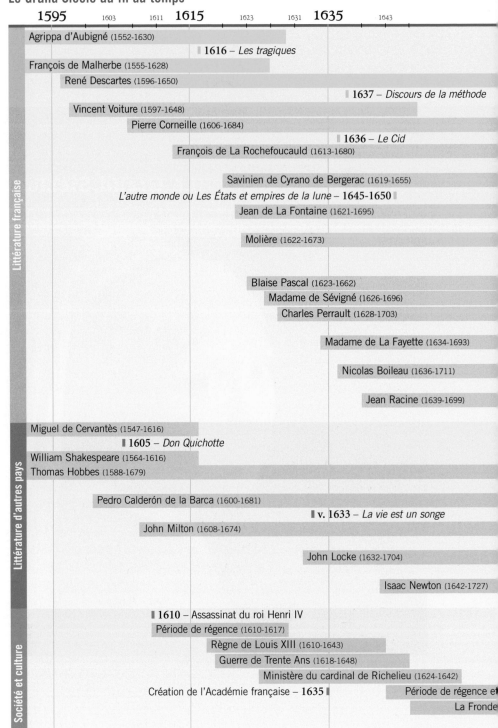

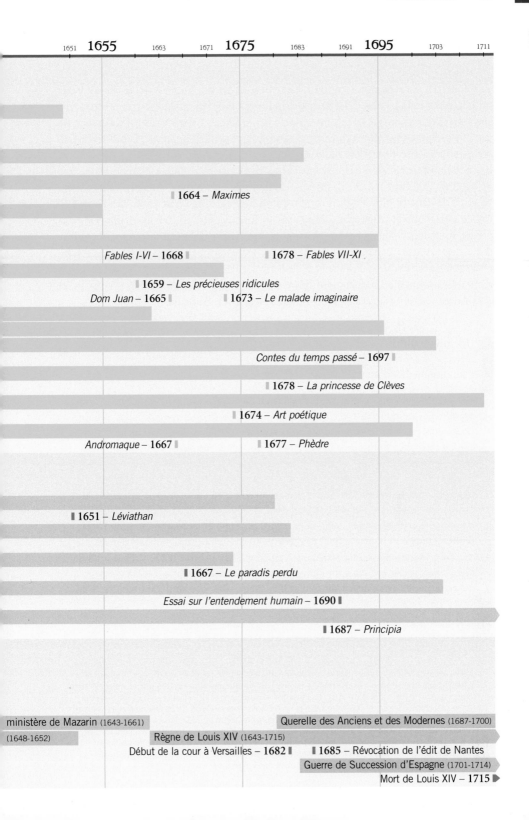

1651 · 1655 · 1663 · 1671 · 1675 · 1683 · 1691 · 1695 · 1703 · 1711

1664 – *Maximes*

Fables I-VI – 1668 · 1678 – *Fables VII-XI*

1659 – *Les précieuses ridicules*
Dom Juan – 1665 · 1673 – *Le malade imaginaire*

Contes du temps passé – 1697

1678 – *La princesse de Clèves*

1674 – *Art poétique*

Andromaque – 1667 · 1677 – *Phèdre*

1651 – *Léviathan*

1667 – *Le paradis perdu*

Essai sur l'entendement humain – 1690

1687 – *Principia*

ministère de Mazarin (1643-1661)

Querelle des Anciens et des Modernes (1687-1700)

(1648-1652)

Règne de Louis XIV (1643-1715)

Début de la cour à Versailles – 1682 · 1685 – Révocation de l'édit de Nantes

Guerre de Succession d'Espagne (1701-1714)

Mort de Louis XIV – 1715 ▶

LE CONTEXTE SOCIOHISTORIQUE (1610-1715)

Le début du XVIIᵉ siècle est marqué par l'instabilité politique. Lorsque le roi Henri IV est assassiné en 1610, l'héritier du trône, Louis XIII, est trop jeune pour régner. La régence, c'est-à-dire la gouvernance du royaume par intérim, est alors assurée par sa mère, la reine Marie de Médicis. Celle-ci subit l'influence de son conseiller, Concini, un homme tyrannique et avide. Par ses décisions impopulaires, elle s'attire l'hostilité de la noblesse, qui finit toutefois par se rallier. Mais lorsque l'entourage du futur roi fait assassiner Concini, elle n'a d'autre choix que de s'exiler[1]. Le cardinal de Richelieu entre alors au Conseil comme ministre en 1624 et devient le plus fidèle soutien du roi. Le cardinal veut restaurer l'autorité royale et rétablir la suprématie française en Europe. Grand défenseur de la raison d'État, Richelieu opère diverses réformes politiques, sociales, économiques et culturelles importantes. Ainsi, le cardinal favorise le développement économique en stimulant le commerce[2] en France et dans les colonies; il renforce la présence de l'État dans les provinces en y déléguant davantage de représentants du roi; il encadre et encourage l'activité littéraire en fondant l'Académie française.

DOCUMENTAIRE

ENCADRÉ

L'Académie française

L'Académie française créée par Richelieu en 1635 s'inspire des nombreuses académies qui animent la vie culturelle italienne à la même époque ainsi que de l'habitude de tenir des salons où se rassemblent écrivains et intellectuels. Ces salons littéraires sont considérés comme des lieux propices à la diffusion des idées libertines, ce qui ne peut que déplaire à l'autorité royale. En fondant l'Académie française, Richelieu vise à exercer une surveillance sur ce qui se dit et s'écrit dans le milieu littéraire afin d'en arriver à un conformisme politique, littéraire et linguistique. En plus de pratiquer la censure, l'Académie a pour mandat de rédiger un dictionnaire; celui-ci fixe l'orthographe et la grammaire pour réglementer l'usage. À partir de 1660, la grammaire devient prescription, seule garante du « bon usage » de la langue. Ce n'est plus l'usage qui dicte la loi, mais la loi qui dicte l'usage. L'Académie commence aussi à fixer l'orthographe, car les mots jusqu'alors pouvaient s'écrire de plus d'une façon. Ces derniers sont scrutés à la

---

1. Marie de Médicis se réfugie à Blois, puis au prieuré de Coussay: elle entre alors en guerre contre son fils et elle est défaite.
2. La découverte d'un nouveau continent fait affluer en France, à partir de 1560, les métaux précieux. Il s'ensuit une fulgurante hausse des prix. Cette inflation économique dure jusqu'en 1630, moment où les importations diminuent. La manne profite surtout aux bourgeois, alors que les propriétaires terriens ont de la difficulté à survivre. La situation des paysans et de la petite noblesse est encore plus précaire, et la plupart se voient contraints de recourir à des usuriers – une fatalité abondamment décrite dans les œuvres littéraires de cette époque. L'accroissement de la richesse des bourgeois amène ces derniers à vouloir s'immiscer dans le domaine politique, jusque-là réservé à l'aristocratie. Au XVIᵉ siècle en France, il devient possible pour un bourgeois d'acheter un titre de noblesse. On parle alors de *noblesse de robe* (qui désigne ceux qui ont acheté leur titre), par opposition à la *noblesse d'épée ou de sang* (qui est déterminée par l'hérédité).

loupe par les académiciens, qui débattent afin de déterminer la graphie la plus appropriée. Ils adoptent souvent la forme la plus compliquée, l'orthographe étymologique, celle qui conserve les traces des «nobles» origines grecques ou latines d'un mot et qui permet de «distinguer les érudits des ignorants». Sous l'influence du courant précieux, il arrive par contre que l'Académie opte pour une orthographe plus moderne, surtout lorsque les termes ne peuvent être apparentés ni au grec ni au latin.

À la fin du XVIIe siècle, le français est bien établi comme langue du peuple et il n'est plus nécessaire d'écrire des plaidoyers pour encourager son utilisation. Avec les dictionnaires et les grammaires, on fixe le «bon usage» pour l'avenir. Il ne reste plus qu'à patienter, et l'on verra les dialectes réduits au silence.

Hyacinthe Rigaud (1659-1743). *Louis XIV, roi de France, portrait en pied en costume royal* (1701). Musée du Louvre, Paris, France.

Le cardinal de Richelieu prépare le terrain pour la monarchie absolue en centralisant tous les pouvoirs. Il s'attaque à tout ce qu'il considère comme une menace pour l'État, à commencer par le protestantisme. Les politiques de Richelieu sont loin de faire l'unanimité au sein de la population, tant du côté des nobles que de celui des bourgeois. La mort du cardinal, en 1642, est accueillie sans effusions de larmes[1]. Louis XIII meurt l'année suivante, laissant un héritier qui n'a que cinq ans.

La France se retrouve une nouvelle fois dans une situation de régence. La reine, Anne d'Autriche, délègue alors la gouvernance du royaume au cardinal Jules Mazarin. Les politiques mises en place par le nouveau régent provoquent le mécontentement de l'aristocratie, qui commence à protester avec vigueur : c'est la Fronde des princes. De 1651 à 1652, la famille royale est forcée de vivre en exil, un événement que le futur roi Louis XIV n'oubliera jamais.

Lorsqu'il monte enfin sur le trône, en 1661, Louis XIV s'organise pour exercer sa domination sur tous les aspects du pouvoir. Il recrute ses ministres parmi les bourgeois plutôt que les nobles, qui doivent se contenter de postes d'officiers dans

---

1. La mort de Richelieu a donné lieu à plusieurs épitaphes diffamatoires, dont celle-ci :
   Ci-gît que personne ne pleure
   Mon bon Seigneur le Cardinal :
   S'il est au Ciel, il n'est pas mal,
   S'il est au diable, à la bonne heure.

l'armée et de rôles de figurants à la cour. C'est le début de la monarchie absolue : la France entière tourne autour de la personne du roi, qui n'hésite pas à se proclamer Roi-Soleil. Louis XIV fait de son château un lieu de plaisirs et de menues intrigues où se pressent les nobles, qu'il peut ainsi surveiller de près. Peu à peu, ces derniers quittent leurs châteaux pour s'installer à Paris, au Louvre, puis à Versailles. Louis XIV devient également le mécène de nombreux artistes, car il ambitionne de faire de Paris la capitale intellectuelle de l'Europe – et il y parvient. Sous son règne, la culture française fait l'envie des autres puissances d'Europe alors que le français supplante le latin comme langue diplomatique.

La volonté du roi d'affirmer son autorité absolue dans tous les domaines l'amène peu à peu à s'attaquer à tout ce qu'il croit constituer une menace à celle-ci. Il s'en prend en premier lieu au protestantisme, qu'il considère comme « un État dans l'État ». En 1685, il révoque l'édit de Nantes, qui permettait la liberté de culte. Cette décision entraîne l'exil de plus de 300 000 protestants français, dits huguenots, et plonge le pays dans une grave crise économique. De plus, la France perd de son prestige lorsque le roi exprime son désir de voir son petit-fils Philippe V accéder au trône d'Espagne : l'Angleterre, la Prusse, l'Autriche et l'Espagne se liguent contre lui. En 1713, Louis XIV se voit forcé de renoncer à son rêve d'unir les couronnes de France et d'Espagne, et signe le traité d'Utrecht. Par ce traité, Philippe V conserve le trône d'Espagne – y instaurant la dynastie des Bourbon –, mais il renonce à régner sur la France.

À la fin de son règne, en 1715, après avoir mené son pays vers une gloire qui restera à jamais inégalée, et qui vaudra au XVIIe siècle le titre de « Grand Siècle », Louis XIV laisse un royaume divisé, ruiné et miné par la famine.

LA CULTURE ET LES CROYANCES DU GRAND SIÈCLE

Le pays connaît de profonds bouleversements qui touchent les valeurs des Français et leurs coutumes. Au début du siècle, on assiste à une surenchère de rhétoriques, tant sur le plan politique que religieux. Derrière l'apparent désordre et les excès, on commence bientôt à discerner une recherche de la juste mesure, de l'ordre et de la droiture morale. Les tendances émergentes ont en commun un désir d'épuration – des idées, de la foi, de la langue et des mœurs[1] – et elles engendrent de nouveaux comportements : 1) la raison commence à dominer la passion (rationalisme) ; 2) deux visions irréconciliables du catholicisme s'affrontent (les jésuites s'opposent aux jansénistes) ; 3) les salons mondains se font arbitres du « bon goût » (préciosité).

LE RATIONALISME

L'humaniste de la Renaissance doit changer pour affronter le nouveau siècle. Il ne suffit plus de se tourner vers le passé pour expliquer le monde : l'humaniste doit revoir son approche, adapter celle-ci aux nouvelles réalités. Après avoir fait le tour

---

1. Ce mouvement purificateur culmine sous le règne de Louis XIV et trouve son équivalent littéraire dans la période dite classique (1660-1680), dont nous traitons à la p. 80.

Harmenszoon van Rijn Rembrandt (1606-1669).
Philosophe en méditation (1632). Musée du Louvre, Paris France.

du monde et prouvé que la Terre est ronde, voici qu'il doit considérer celle-ci comme une simple planète parmi tant d'autres. À chaque découverte, l'incertitude et le désarroi prennent le dessus. Dans ce contexte, René Descartes (1596-1650) propose une façon inédite de raisonner, d'organiser la pensée, de classifier les connaissances et de considérer la recherche expérimentale : c'est le triomphe de la raison. L'œuvre de Descartes est rapidement diffusée et sert de cadre aux discussions qui se déroulent dans les salons mondains, entre autres parce que Descartes est le premier philosophe à avoir osé écrire en français plutôt qu'en latin.

L'OPPOSITION JÉSUITES / JANSÉNISTES

Les dissensions héritées du siècle précédent (avec la Réforme et la Contre-Réforme) engendrent un nouvel ordre moral caractérisé par une forme d'austérité et de ferveur religieuse. Le catholicisme se trouve alors au centre d'un débat qui oppose les jésuites[1] et les jansénistes[2], deux groupes catholiques qui proposent des visions irréconciliables de la foi.

---

1. Ordre religieux, aussi connu sous le nom de Compagnie de Jésus, fondé par Ignace de Loyola, un gentilhomme espagnol du milieu du XVIᵉ siècle.
2. Groupe qui tire son nom de Cornélius Jansen (1585-1638), théologien néerlandais et auteur de l'*Augustinus*, l'ouvrage fondamental du jansénisme.

Les jésuites mettent de l'avant une spiritualité active et tentent d'adapter la religion au monde moderne. À l'origine, le fondateur de l'ordre souhaitait que ses disciples deviennent l'instrument du pape contre la Réforme en s'alliant avec les rois, en fondant des collèges pour enseigner aux laïcs et en allant convertir les populations étrangères (Chine, Nouveau Monde, etc.). Les jésuites proposent une vision optimiste de la foi. Selon eux, c'est par leur volonté et leurs actions (gestes de piété, bonnes œuvres, dévotion, etc.) que les croyants peuvent obtenir leur salut. En mettant l'accent sur les devoirs du croyant, les jésuites enseignent la crainte de Dieu, qui accorde sa grâce[1] à ceux qui la méritent.

De leur côté, les jansénistes ont une conception plutôt pessimiste de la nature humaine et de la prédestination. Selon eux, l'humain est irrémédiablement corrompu par le péché originel et la grâce n'est pas donnée à tous. Le centre du jansénisme est l'abbaye de Port-Royal à Paris. La plupart des personnes qui adhèrent à cette croyance s'y retrouvent pour méditer. Rapidement, le jansénisme prend l'allure d'une secte de purs et sème la discorde, car cette foi austère s'intègre mal à la vie mondaine remplie de fêtes, de danses, de représentations que l'on retrouve à Versailles. Cette image de pureté que cherchent à refléter les jansénistes explique en partie l'aversion du roi Louis XIV à leur égard. En 1709, celui-ci ordonne la destruction de l'abbaye de Port-Royal.

Parmi les adeptes du jansénisme, on compte des aristocrates influents et des écrivains, notamment Racine[2] et Pascal. L'écrivain janséniste trouve dans cette voie le silence propice à la méditation et à l'inspiration ; selon lui, la littérature est un don de Dieu qui s'adresse au cœur, ce qui peut faire dire à Pascal que « le cœur a ses raisons que la raison ne connaît pas ». Les écrivains jansénistes, mis à part Pascal, opteront pour un style d'écriture sans artifice, terne, et leurs œuvres feront une large place au destin et à la misère engendrée par les passions.

Pierre Paul Rubens (1577-1640).
Adam et Ève sous l'arbre de la science du bien et du mal (1605).
Rubenshuis, Anvers, Belgique.

La préciosité

Inspirée de la courtoisie du Moyen Âge, la préciosité est avant tout associée à un mouvement intellectuel et littéraire qui éclôt dans les salons mondains au milieu du XVIIe siècle. L'esprit précieux, développé surtout par les femmes de la noblesse, s'oppose aux mœurs grossières de la cour au lendemain des guerres et se caractérise

---

1. Pardon, remise de peine.
2. Racine a été élevé dans le jansénisme, mais s'en est peu à peu éloigné à l'époque où il écrivait.

par un raffinement extrême des manières, des sentiments, du goût et du langage. Par ailleurs, certains adeptes de ce courant vont rapidement tomber dans l'excès, et le terme «précieuses» sera alors employé pour désigner les personnes dont les manières et le langage se démarquent par une grande affectation.

La conversation est une activité très prisée au XVIIᵉ siècle. L'élite intellectuelle et artistique en fait bientôt un art raffiné et, pour laisser libre cours à ce plaisir sans cesse renouvelé, elle se réunit dans des salons littéraires, qui deviennent arbitres du «bon goût». L'influence des salons se fait sentir jusqu'à l'Académie française, qui commence dès lors à se pencher sur la bienséance, à départager le «bon» vocabulaire du «mauvais» et à rechercher la perfection formelle.

Les salons sont réservés aux esprits distingués: pour y accéder, il ne suffit pas d'avoir une noblesse de sang, car c'est la «noblesse de l'âme» qui prime. Parmi les habitués, en plus des aristocrates, on trouve aussi des hommes et des femmes de lettres, des artistes et des politiciens. Ces précieux parlent surtout d'amour (thème incontournable) et de littérature, mais aussi de philosophie. On se penche notamment sur la nature humaine, qu'on tente d'expliquer par la morale, les mœurs et l'histoire. Les échanges et les réflexions dont se nourrissent mutuellement les participants trouvent un écho dans les œuvres de ceux qui s'adonnent à l'écriture, notamment dans les maximes, un genre très en vogue dans les salons mondains. François de La Rochefoucauld (1613-1680), un habitué des salons, rassemble ses réflexions sur la nature humaine de même que celles de ses pairs pour les communiquer dans un style lapidaire et incisif.

ŒUVRE — François de La Rochefoucauld (1613-1680)

Réflexions ou sentences et maximes morales

  2 – L'amour-propre est le plus grand de tous les flatteurs.

  49 – On n'est jamais si heureux ni si malheureux qu'on s'imagine.

  72 – Si on juge de l'amour par la plupart de ses effets, il ressemble plus à la haine qu'à l'amitié.

  89 – Tout le monde se plaint de sa mémoire, et personne ne se plaint de son jugement.

140 – Un homme d'esprit serait souvent bien embarrassé sans la compagnie des sots.

199 – Le désir de paraître habile empêche souvent de le devenir.

204 – La sévérité des femmes est un ajustement et un fard qu'elles ajoutent à leur beauté.

206 – C'est être véritablement honnête homme que de vouloir être toujours exposé à la vue des honnêtes gens.

261 – L'éducation que l'on donne d'ordinaire aux jeunes gens est un second amour-propre qu'on leur inspire.

Le courant précieux se manifeste aussi dans la correspondance, outil de communication par excellence de cette époque, alors que certains écrivains trouvent un moyen d'expression privilégié dans le genre épistolaire. Parmi les œuvres les plus représentatives du genre se trouvent *Les lettres portugaises*[1], qui racontent les tourments d'une religieuse délaissée par son amant, ainsi que les *Lettres* de Madame de Sévigné (1626-1696). À travers l'abondante correspondance qu'elle adresse à sa fille, Madame de Sévigné relate dans une langue vivante et sensible la chronique de la vie parisienne.

La préciosité est forcément valorisée à la cour de Louis XIV. L'aristocratie évolue en effet dans un monde à part. Le roi, par son attitude, cherche à renforcer le sentiment d'appartenance qui unit cette classe privilégiée, notamment en rassemblant les nobles autour de lui et en leur offrant des présents. Les nombreuses fêtes auxquelles il préside sont aussi l'occasion de diffuser des livrets[2] dont l'objectif principal est d'accroître le culte royal. On y décrit abondamment la qualité des invités et le faste de la cour, qui ne peuvent que susciter l'admiration. Dans ce contexte, pour « être quelqu'un », il devient impératif de plaire à la cour, et le poète Vincent Voiture (1597-1648) s'y emploie avec vigueur. Parfait mondain issu de la bourgeoisie (son père était marchand de vin), Voiture reflète l'esprit des salons, qu'il anime par sa spiritualité et sa verve élégante, comme dans le poème galant ci-dessous, qui illustre bien le style précieux.

ŒUVRE — Vincent Voiture (1597-1648)

Rondeau

Ou vous savez tromper bien finement,
Ou vous m'aimez assez fidèlement :
Lequel des deux, je ne le saurais dire,
Mais cependant je pleure et je soupire,
5 Et ne reçois aucun soulagement.

Pour votre amour j'ai quitté franchement
Ce que j'avais acquis bien sûrement ;
Car on m'aimait, et j'avais quelque empire
    Où vous savez.

10 Je n'attends pas tout le contentement
Qu'on peut donner aux peines d'un amant,
Et qui pourrait me tirer de martyre :
À si grand bien mon courage n'aspire,
Mais laissez-moi vous toucher seulement
15   Où vous savez.

---

1. Auteur anonyme. On a longtemps cru que cette œuvre ne pouvait avoir été écrite que par une femme. Aujourd'hui, on l'attribue à Gabriel Joseph de Lavergne, comte de Guilleragues (1628-1685).
2. Le XVIIe siècle marque aussi les débuts de la presse : le *Mercure françois*, en 1611, et la *Gazette* de Théophraste Renaudot, en 1631. Ce n'est qu'au siècle suivant que les journaux permettront aux gens de s'informer sur tous les événements politiques, culturels et sociaux.

Pierre Patel (1605-1676). *Vue du château de Versailles en 1668* (détail) (1668).
Château et Trianons, Versailles, France.

En littérature, le courant précieux se démarque notamment par une surutilisation de la **métaphore**, de l'**hyperbole**, de la **périphrase**, de la **litote**, de l'**euphémisme** ainsi que par le recours répété à l'adverbe. Plusieurs techniques narratives sont empruntées au théâtre, comme le **soliloque**. L'influence de la préciosité se fait aussi sentir dans les descriptions des personnages romanesques. Les auteurs précieux ont une prédilection pour le portrait et s'intéressent de plus en plus à l'analyse psychologique. Leurs actions et leurs sentiments ainsi décortiqués, les personnages gagnent en complexité, tant dans les romans de la période baroque que dans ceux de la période classique.

L'ÉCRITURE AU XVIIᵉ SIÈCLE

Le XVIIᵉ siècle voit se développer deux grands courants littéraires : le baroque, qui s'étend de 1570 à 1660, et le classicisme, qui désigne principalement la génération d'écrivains des années 1660 à 1680. Il importe de bien les départager, car même si l'influence de la préciosité, du rationalisme ou de l'Académie transparaît dans chacun, il reste que leur esthétique et leur thématique sont aux antipodes.

LE BAROQUE (1570-1660)

La France vit une période trouble, marquée par les régences, les Frondes et l'intolérance religieuse. Ces événements entraînent des mutations brusques qui se répercutent dans la littérature, dont l'évolution semble vouloir emprunter plusieurs directions à la fois.

ENCADRÉ

DOCUMENTAIRE

La condition de l'écrivain au XVIIᵉ siècle

À cette époque, il est bien vu d'écrire, mais la publication n'est pas un objectif. Certains textes passent de main en main dans les salons et ne sont connus que d'un cercle d'initiés; d'autres sont publiés anonymement, telles les *Lettres* de Madame de Sévigné, *La princesse de Clèves* de Madame de La Fayette, ou encore les *Maximes* de La Rochefoucauld. La publication des manuscrits rencontre plusieurs obstacles, entre autres la censure (avec le « privilège du roi », celle-ci échappe à l'Église et devient étatique), les nombreuses faillites d'éditeurs, la difficulté pour un auteur de se faire payer par les libraires, etc. Pour assurer leur subsistance, les écrivains doivent pouvoir compter sur la générosité d'un mécène ou sur les rentes provenant des institutions royales ou ecclésiastiques qui font appel à leurs services. Au XVIIᵉ siècle, on comprend encore mal qu'un écrivain puisse être autre chose que le porte-parole du roi ou de l'Église. Par conséquent, une œuvre personnelle comme celle de Montaigne ne peut que susciter la méfiance.

Du côté du théâtre, les auteurs vivent dans la précarité, et ce, malgré la popularité dont jouit ce genre. Corneille est payé par la troupe qui souhaite ainsi se réserver l'exclusivité de sa pièce. Molière et Racine reçoivent une part des recettes des représentations. Quant aux auteurs moins connus, ils ne tirent pratiquement aucun revenu de leurs œuvres, car les droits d'auteur n'existent pas[1].

Le terme « baroque » vient du portugais *barocco*, qui désigne des perles irrégulières. Aux XVIIᵉ et XVIIIᵉ siècles, ce mot est utilisé pour qualifier une esthétique caractérisée par une grande liberté d'expression. En littérature, le baroque forme un pont entre la Renaissance et le classicisme. Les auteurs baroques optent pour la polyvalence qui découle d'un monde en perpétuel changement plutôt que pour la stabilité que d'autres recherchent dans l'imitation des Anciens. Le style qu'ils développent s'harmonise à leur conception du monde et se définit par l'expression de la fantaisie et de l'imagination, l'attirance pour les excès et le refus des règles et de tout ce qui est figé. Les thèmes privilégiés sont l'inconstance, le provisoire, la métamorphose. Dans cet univers d'apparences, le paraître prime la réalité. Tantôt libertin, tantôt galant, le baroque se définit dans la pluralité de ses approches.

Georges de La Tour (1593-1652). *La Madeleine pénitente (Madeleine Wrightsman)* (1640). Metropolitan Museum of Art, New York, États-Unis.

---

1. La notion de droits d'auteur est apparue avec la création en 1777 de la Société des auteurs dramatiques par l'écrivain Beaumarchais.

DOCUMENTAIRE

ENCADRÉ

Le libertinage

Devant l'infinité du monde, deux idéologies s'opposent: d'un côté se placent ceux qui, comme Pascal, croient qu'il faut voir dans ce constat une preuve de la toute-puissance divine; de l'autre se placent les libertins, qui entrevoient dans cette réalité nouvelle une invitation à modifier leur façon de vivre et ne demandent pas mieux que d'explorer ce monde infini. Le terme «libertin» désigne les libres penseurs ou les incroyants, c'est-à-dire les personnes qui, à la suite d'une crise de conscience, remettent en question la religion et la morale. Selon les libertins, l'univers et la nature ne doivent pas se confondre avec Dieu.

Le libertin est foncièrement individualiste et épicurien, comme en témoigne son credo, *carpe diem,* qui signifie «saisir l'instant». Rationaliste et sceptique, il n'hésite pas à remettre en question tout ce qui ne peut être démontré par l'observation.

Les œuvres des libertins prônent le bonheur, la grandeur d'âme; en cela, elles proposent une vision idéalisée de la condition humaine. Ce monde idéal, les écrivains libertins choisissent souvent de le décrire en faisant le récit d'un voyage imaginaire dans lequel ils se permettent de critiquer la société et les mœurs de l'époque. Par la position qu'ils adoptent à cet égard, les libertins représentent la transition entre les humanistes de la Renaissance et les philosophes du XVIIIe siècle.

La poésie

À partir de 1560, une série d'événements politiques conduit à une guerre civile. La France est alors divisée sur le plan religieux. Le massacre de la Saint-Barthélémy, en 1572, annonce la fin du rêve humaniste et révèle une crise profonde, car les valeurs véhiculées par la Réforme, par la Contre-Réforme et par l'idéologie libertine sont irréconciliables. L'optimisme et l'idéalisme de la Renaissance font place au scepticisme, voire au pessimisme. Ces tendances nouvelles trouvent notamment écho dans la poésie alors qu'on assiste à la résurgence des thèmes tragiques: mort, souffrance, fatalité.

Les écrivains perçoivent le monde comme un lieu artificiel, un théâtre dans lequel l'humain joue un rôle et où la seule certitude reste la mort. Devant celle-ci, deux options s'offrent à l'humanité: profiter pleinement de la vie ou se retourner avec angoisse vers Dieu. Le baroque est marqué par cette inconstance et ce pathétisme.

Si certains préfèrent se retirer, d'autres vont opter pour une écriture engagée. Agrippa d'Aubigné (1552-1630) est de ceux-là. Dans son long poème visionnaire intitulé *Les tragiques,* publié en 1616, le poète fait appel à l'allégorie pour retracer le destin des protestants persécutés. Il parvient à dépeindre avec un réalisme poignant les souffrances de ces derniers en cherchant à susciter l'émotion par la force d'évocation de son style riche en métaphores.

Agrippa d'Aubigné (1552-1630)

Les tragiques

Misères

Je veux peindre la France une mère affligée,
Qui est, entre ses bras, de deux enfants chargée.
Le plus fort, orgueilleux, empoigne les deux bouts
Des tétins nourriciers; puis, à force de coups
5 D'ongles, de poings, de pieds, il brise le partage
Dont nature donnait à son besson[1] l'usage;
Ce voleur acharné, cet Esaü[2] malheureux,
Fait dégât du doux lait qui doit nourrir les deux,
Si que, pour arracher à son frère la vie,
10 Il méprise la sienne et n'en a plus d'envie.
Mais son Jacob, pressé d'avoir jeûné meshui,
Ayant dompté longtemps en son cœur son ennui,
À la fin se défend, et sa juste colère
Rend à l'autre un combat dont le champ est la mère.
15 Ni les soupirs ardents, les pitoyables cris,
Ni les pleurs réchauffés ne calment leurs esprits;
Mais leur rage les guide et leur poison les trouble,
Si bien que leur courroux[3] par leurs coups se redouble.
Leur conflit se rallume et fait si furieux
20 Que d'un gauche malheur ils se crèvent les yeux.
Cette femme éplorée, en sa douleur plus forte,
Succombe à la douleur, mi-vivante, mi-morte;
Elle voit les mutins[4], tous déchirés, sanglants,
Qui, ainsi que du cœur, des mains se vont cherchant.
25 Quand, pressant à son sein d'une amour maternelle
Celui qui a le droit et la juste querelle,
Elle veut le sauver, l'autre, qui n'est pas las[5],
Viole, en poursuivant, l'asile de ses bras.
Adonc se perd le lait, le suc de sa poitrine;
30 Puis, aux derniers abois de sa proche ruine,
Elle dit: «Vous avez, félons, ensanglanté
Le sein qui vous nourrit et qui vous a porté;
Or, vivez de venin, sanglante géniture,
Je n'ai plus que du sang pour votre nourriture!»

---

1. Jumeau.
2. Personnage de l'Ancien Testament. Ésaü aurait donné son droit d'aînesse à son frère Jacob en échange d'un plat de lentilles.
3. Colère.
4. Personne qui se révolte avec violence contre l'autorité.
5. Qui ressent de la fatigue, épuisé.

François de Malherbe (1555-1628), quant à lui, pose les jalons d'une poésie en rupture avec l'idéal de la Pléiade et qui cherche un équilibre entre raison et sentiment. Une fois installé à la cour d'Henri IV, Malherbe devient aussi théoricien de la littérature et s'empresse de faire valoir ses idées sur la langue. Il resserre les règles de la versification que Ronsard et d'autres avaient largement assouplies et enseigne la grammaire aux poètes. L'idéal de Malherbe repose sur la clarté et la pureté de la langue, qu'il cherche à débarrasser de toute trace de pédantisme et d'ambiguïté. Son poème « Dessein de quitter une dame » montre un souci pour la clarté et la musicalité du vers.

François de Malherbe (1555-1628)

Dessein de quitter une dame
qui ne le contentait que de promesse

Beauté, mon beau souci, de qui l'âme incertaine
A comme l'Océan son flux et son reflux :
Pensez de vous résoudre à soulager ma peine,
Ou je me vais résoudre à ne la souffrir plus.

5 Vos yeux ont des appas que j'aime et que je prise,
Et qui peuvent beaucoup dessus ma liberté :
Mais, pour me retenir, s'ils font cas de ma prise,
Il leur faut de l'amour autant que de beauté.

Quand je pense être au point que cela s'accomplisse,
10 Quelque excuse toujours en empêche l'effet :
C'est la toile sans fin de la femme d'Ulysse,
Dont l'ouvrage du soir au matin se défait.

Madame, avisez-y, vous perdez votre gloire
De me l'avoir promis et vous rire de moi,
15 S'il ne vous en souvient vous manquez de mémoire,
Et s'il vous en souvient vous n'avez point de foi.

J'avais toujours fait compte, aimant chose si haute,
De ne m'en séparer qu'avecque le trépas,
S'il arrive autrement ce sera votre faute,
20 De faire des serments et ne les tenir pas.

Le roman

Les romanciers baroques affectionnent la démesure. Souvent longues de plusieurs milliers de pages, leurs œuvres riches en rebondissements mettent en scène une profusion de personnages, dans un style souvent dominé par de grandes envolées et une abondance d'images et d'hyperboles. Illusions, imaginaire et réalité constituent les thèmes récurrents de ces récits. L'œuvre de Savinien de Cyrano de Bergerac (1619-1655), que l'on associe surtout à l'écriture libertine, offre un exemple original de la fantaisie baroque. Dans *L'autre monde ou Les États et empires de la lune*, après avoir créé une machine pour aller sur la lune et fait le voyage, le narrateur relate sa rencontre avec les habitants lunaires. Dans cette œuvre qui se présente comme un récit de science-fiction ou d'anticipation, l'objet-livre dont il est question semble bien préfigurer le baladeur. À une époque où les modèles antiques représentent encore l'idéal du savoir, cette façon originale de considérer l'apport de la technologie à la connaissance laisse présager le combat qui, vers la fin du siècle, va opposer les défenseurs du modèle antique (les Anciens) aux promoteurs du renouvellement artistique (les Modernes).

ŒUVRE

Savinien de Cyrano de Bergerac (1619-1655)

L'autre monde ou Les États et empires de la lune

[...] Songez à librement vivre.

Il me quitta en achevant ce mot, car c'est l'adieu dont, en ce pays-là, on prend congé de quelqu'un comme le « bonjour » ou le « Monsieur votre serviteur » s'exprime
5   par ce compliment: «Aime-moi, sage, puisque je t'aime». À peine fut-il hors de présence que je me mis à considérer attentivement mes livres. Les boîtes, c'est-à-dire leurs couvertures, me semblèrent admirables pour leur richesse; l'une était taillée d'un seul diamant, plus brillant sans comparaison que les nôtres; la seconde ne paraissait qu'une
10 monstrueuse perle fendue en deux. Mon démon avait traduit ces livres en langage de ce monde-là; mais parce que je n'ai point encore parlé de leur imprimerie, je m'en vais expliquer la façon de ces deux volumes.

À l'ouverture de la boîte, je trouvai dedans un je ne sais quoi de métal quasi tout semblable à nos horloges, plein d'un nombre infini de petits ressorts et
15 de machines imperceptibles. C'est un livre à la vérité, mais c'est un livre miraculeux qui n'a ni feuillets ni caractères; enfin c'est un livre où, pour apprendre, les yeux sont inutiles; on n'a besoin que d'oreilles. Quand quelqu'un donc souhaite lire, il bande, avec une grande quantité de toutes sortes de clefs, cette machine, puis il tourne l'aiguille sur le chapitre qu'il désire écouter, et au
20 même temps il sort de cette noix comme de la bouche d'un homme, ou d'un instrument de musique, tous les sons distincts et différents qui servent, entre les grands lunaires, à l'expression du langage.

Lorsque j'eus réfléchi sur cette miraculeuse invention de faire des livres, je ne m'étonnai plus de voir que les jeunes hommes de ce pays-là possédaient
25 davantage de connaissance à seize et à dix-huit ans que les barbes grises du nôtre; car, sachant lire aussitôt que parler, ils ne sont jamais sans lecture; dans la chambre, à la promenade, en ville, en voyage, à pied, à cheval, ils peuvent avoir dans la poche, ou pendus à l'arçon de leurs selles, une trentaine de ces livres dont ils n'ont qu'à bander un ressort pour en ouïr un chapitre seule-
30 ment, ou bien plusieurs, s'ils sont en humeur d'écouter tout un livre: ainsi vous avez éternellement autour de vous tous les grands hommes et morts et vivants qui vous entretiennent de vive voix.

Le théâtre

À partir de 1548, la représentation des mystères est interdite. Dans sa volonté de contrôler la création artistique, l'État complique la tâche aux artisans en leur imposant un ensemble de règles qui est perçu comme une forme de censure. Cet encadrement strict survient à la suite des pressions exercées par les dévots, ces fervents croyants qui n'en finissent plus de s'acharner contre les gens de théâtre. Par ailleurs, l'État tend à favoriser la **tragédie** au détriment de la comédie en raison du caractère subversif de cette dernière : la comédie permet en effet de rire de l'autorité et de transgresser les règles.

La popularité des troupes italiennes en France, avec la *commedia dell'arte*, va permettre à la comédie française de se renouveler. Dans la comédie à l'italienne, les acteurs, pour la plupart masqués, improvisent à partir d'un canevas et misent sur leur gestuelle emphatique pour divertir le public. D'une pièce à l'autre, on retrouve les mêmes personnages fortement typés : le vieux libidineux qui convoite la jeune femme, les vieillards, les valets, les soldats, sans oublier le couple d'amoureux ingénus. Le modèle italien sera bientôt repris et perfectionné par Molière. Par ailleurs, la comédie cherche à acquérir ses lettres de noblesse : elle s'écrit en alexandrins et s'efforce de toucher un public exigeant et cultivé. Cette tendance, amorcée dès 1630, va se poursuivre durant la période classique.

En 1636, la tragicomédie *Le Cid* se retrouve au cœur d'un débat qui oppose les tenants de la soumission aux règles dramaturgiques et ceux qui privilégient la richesse dramatique. Les tenants des règles triomphent. Mais si la pièce de Pierre Corneille (1606-1684) désobéit à la règle de l'unité de temps (voir p. 82), qui régit les pièces dites régulières, il n'en demeure pas moins qu'elle obéit à l'unité d'action, qui oblige le héros à affronter ses problèmes plutôt que de les fuir dans une suite d'actions. Contraint de faire un choix, le héros est aux prises avec un débat intérieur qu'il ressent comme un véritable déchirement : c'est ce qu'on a appelé le « dilemme cornélien ».

Giovanni Domenico Tiepolo (1727-1804). *Paillasse amoureux* (1793). Ca'Rezzonico, Venise, Italie.

Pierre Corneille (1606-1684)

Le Cid

Acte I, scène 5

DON DIÈGUE
Rodrigue, as-tu du cœur?

DON RODRIGUE
Tout autre que mon père
L'éprouveroit sur l'heure.

DON DIÈGUE
Agréable colère!
5　Digne ressentiment à ma douleur bien doux!
Je reconnois mon sang à ce noble courroux;
Ma jeunesse revit en cette ardeur si prompte.
Viens, mon fils, viens, mon sang, viens réparer ma honte;
Viens me venger.

DON RODRIGUE
10　De quoi?

DON DIÈGUE
D'un affront si cruel,
Qu'à l'honneur de tous deux il porte un coup mortel:
D'un soufflet. L'insolent en eût perdu la vie;
Mais mon âge a trompé ma généreuse envie;
15　Et ce fer que mon bras ne peut plus soutenir,
Je le remets au tien pour venger et punir.
Va contre un arrogant éprouver ton courage:
Ce n'est que dans le sang qu'on lave un tel outrage;
Meurs ou tue. Au surplus, pour ne te point flatter,
20　Je te donne à combattre un homme à redouter:
Je l'ai vu, tout couvert de sang et de poussière,
Porter partout l'effroi dans une armée entière.
J'ai vu par sa valeur cent escadrons rompus;
Et pour t'en dire encor quelque chose de plus,
25　Plus que brave soldat, plus que grand capitaine,
C'est...

DON RODRIGUE
De grâce, achevez.

DON DIÈGUE
Le père de Chimène.

DON RODRIGUE
Le...

DON DIÈGUE
30 Ne réplique point, je connois ton amour;
Mais qui peut vivre infâme est indigne du jour.
Plus l'offenseur est cher, et plus grande est l'offense.
Enfin tu sais l'affront, et tu tiens la vengeance
Je ne te dis plus rien. Venge-moi, venge-toi;
35 Montre-toi digne fils d'un père tel que moi.
Accablé des malheurs où le destin me range,
Je vais les déplorer: va, cours, vole, et nous venge.

Acte I, scène 6

DON RODRIGUE
Percé jusques au fond du cœur
D'une atteinte imprévue aussi bien que mortelle,
Misérable vengeur d'une juste querelle,
Et malheureux objet d'une injuste rigueur,
5 Je demeure immobile, et mon âme abattue
Cède au coup qui me tue.
Si près de voir mon feu récompensé,
Ô Dieu, l'étrange peine!
En cet affront mon père est l'offensé,
10 Et l'offenseur le père de Chimène!

Que je sens de rudes combats!
Contre mon propre honneur mon amour s'intéresse:
Il faut venger un père, et perdre une maîtresse:
L'un m'anime le cœur, l'autre retient mon bras.
15 Réduit au triste choix ou de trahir ma flamme,
Ou de vivre en infâme,
Des deux côtés mon mal est infini.
Ô Dieu, l'étrange peine!
Faut-il laisser un affront impuni?
20 Faut-il punir le père de Chimène?

DOCUMENTAIRE

ENCADRÉ

La tragicomédie

Traditionnellement, comédie et tragédie s'opposent selon quatre critères : le sujet (historique ou non) ; les personnages (d'origine noble ou modeste) ; le dénouement (triste ou heureux) et le style (élevé ou familier). Cependant, l'intérêt pour la comédie incite certains dramaturges à mêler les genres en intégrant dans l'un certains critères habituellement réservés à l'autre. Le nouveau genre théâtral qui en résulte apparaît comme un mélange de comique et de tragique, avec une intrigue amoureuse et un dénouement heureux.

La tragicomédie profite d'une très grande liberté, car elle n'est pas soumise à la règle des trois unités (voir p. 82). Dans ce genre hybride, qualifié d'irrégulier, l'intrigue peut s'étaler sur plusieurs journées (voire plusieurs années), se déplacer d'un lieu à un autre, etc. La tragicomédie est aussi caractérisée par sa démesure et sa complexité. On multiplie les personnages et les lieux, les rebondissements, les éléments spectaculaires comme les ballets et les machines, etc. Comparée à cette forme théâtrale débridée, la tragédie classique, avec ses règles strictes et son rejet de l'invraisemblable, semble beaucoup plus accessible. Il reste que certains auteurs conçoivent la tragicomédie différemment. Ainsi Corneille, dans son chef-d'œuvre *Le Cid,* propose des personnages connus et une intrigue sérieuse qui se rapproche davantage de la tragédie sans toutefois respecter les règles du genre, un choix qui ne manquera pas de soulever la controverse dans le monde du théâtre.

LE CLASSICISME (1660-1680)

Perçue comme une réaction au baroque, la période dite classique coïncide avec le début du règne personnel de Louis XIV. Ce dernier, désireux de normaliser tant la culture et la société que la foi, voit d'un bon œil tous les efforts entrepris dans le but de réglementer et de codifier les activités et les comportements à la cour : la singularité et l'extravagance, autrefois tolérées, sont désormais condamnées au nom de la raison. Au cours des années qui suivent émerge un nouvel idéal social : l'« honnête homme ». Il connaît les bons usages, fréquente la bonne société et se distingue par sa grande faculté d'adaptation. Ouvert, cultivé, réfléchi, modéré, c'est à lui que s'adressent les écrivains de cette période.

Guidés par les théoriciens qui se chargent de développer et de promouvoir l'esthétique classique, dans laquelle domine la raison, les écrivains privilégient la beauté, à l'instar des Anciens, et ils cherchent à plaire et à instruire. Ils ont aussi l'ambition d'améliorer les mœurs, se rapprochant en cela du jansénisme.

Le théoricien le plus influent du classicisme est sans doute Nicolas Boileau (1636-1711). Dans son *Art poétique,* long poème didactique, Boileau résume l'histoire de la poésie depuis le Moyen Âge jusqu'à Malherbe et énonce les grands principes de l'esthétique classique.

Nicolas Boileau (1636-1711)

Art poétique

Chant I

Enfin Malherbe vint, et, le premier en France,
Fit sentir dans les vers une juste cadence,
D'un mot mis en sa place enseigna le pouvoir,
Et réduisit la muse[1] aux règles du devoir.
5 Par ce sage écrivain la langue réparée
N'offrit plus rien de rude à l'oreille épurée.
Les stances[2] avec grâce apprirent à tomber,
Et le vers sur le vers n'osa plus enjamber.
Tout reconnut ses lois; et ce guide fidèle
10 Aux auteurs de ce temps sert encor de modèle.
Marchez donc sur ses pas; aimez sa pureté,
Et de son tour heureux imitez la clarté.
Si le sens de vos vers tarde à se faire entendre,
Mon esprit aussitôt commence à se détendre,
15 Et, de vos vains discours prompt à se détacher,
Ne suit point un auteur qu'il faut toujours chercher.
          Il est certains esprits dont les sombres pensées
Sont un nuage épais toujours embarrassées;
Le jour de la raison ne les ont point percés.
20 Avant donc que d'écrire apprenez à penser.
Selon que notre idée est plus ou moins obscure,
L'expression la suit, ou moins nette, ou plus pure.
Ce que l'on conçoit bien s'énonce clairement,
Et les mots pour le dire arrivent aisément.
25   Surtout, qu'en vos écrits la langue révérée
Dans vos plus grands excès vous soit toujours sacrée.
En vain vous me frappez d'un son mélodieux,
Si le terme est impropre, ou le tour vicieux;
Mon esprit n'admet point un pompeux barbarisme,
30 Ni d'un vers ampoulé[3] l'orgueilleux solécisme[4].
Sans la langue, en un mot, l'auteur le plus divin
Est toujours, quoi qu'il fasse, un méchant écrivain.

---

1. Inspiration poétique, souvent personnifiée sous les traits d'une femme.
2. Groupe de vers offrant un sens complet, suivi d'un repos.
3. D'une grande prétention, emphatique et exagéré.
4. Construction syntaxique erronée.

Le théâtre

Le théâtre classique est marqué par la réglementation et le rejet de la démesure qui caractérisait le baroque : du théâtre « irrégulier », on passe au théâtre « régulier ». Les théories sur la dramaturgie, notamment la redécouverte de la *Poétique* d'Aristote, vont imposer à la création théâtrale un nouveau cadre, fondé sur le rapport entre la vérité et le beau, la nature et la raison. Pour atteindre cet idéal, le dramaturge doit se soumettre à la règle des trois unités :

- l'**unité de temps** : l'action s'étend sur une période d'au plus 24 heures ;
- l'**unité de lieu** : l'action se déroule dans un seul lieu ;
- l'**unité d'action** : l'intrigue correspond à une seule action principale.

À ces règles incontournables s'ajoutent le respect de l'*unité de ton*, qui proscrit le mélange des genres, ainsi que la nécessité de la vraisemblance et de la bienséance, qui incite les auteurs à s'éloigner des caractères individuels pour se consacrer d'une façon plus générale à l'être humain.

Dans cette société fortement hiérarchisée, les genres sont classés en fonction des règles qui leur sont imposées. Ainsi, plus il y a de règles, plus le genre est noble. Au premier rang de ce classement arrive la tragédie, qui atteint des sommets à l'époque classique avec les dramaturges Corneille (voir p. 78) et Racine.

Jean Racine (1639-1699), qui a grandi dans la croyance janséniste, présente une vision tragique de la condition humaine, dans laquelle l'individu ne peut échapper à son destin. S'inspirant de la mythologie, il sonde l'âme humaine aux prises avec ses passions – principalement la passion amoureuse, invariablement source de conflits – pour créer la tragédie psychologique. Dans sa pièce *Phèdre*, considérée par plusieurs comme le chef-d'œuvre du genre, l'héroïne est victime de sa passion inavouable et du désordre qu'elle cause.

ŒUVRE

Jean Racine (1639-1699)

Phèdre

Acte II, scène 5

HIPPOLYTE
Je vois de votre amour l'effet prodigieux.
Tout mort qu'il est, Thésée est présent à vos yeux ;
Toujours de son amour votre âme est embrasée.

PHÈDRE
Oui, Prince, je languis, je brûle pour Thésée.
5 Je l'aime, non point tel que l'ont vu les enfers,
Volage adorateur de mille objets divers,
Qui va du dieu des morts déshonorer la couche ;
Mais fidèle, mais fier, et même un peu farouche,

Charmant, jeune, traînant tous les cœurs après soi,
10 Tel qu'on dépeint nos dieux, ou tel que je vous voi.
Il avait votre port, vos yeux, votre langage,
Cette noble pudeur colorait son visage
Lorsque de notre Crète il traversa les flots,
Digne sujet des vœux des filles de Minos[1].
15 Que faisiez-vous alors? Pourquoi, sans Hippolyte,
Des héros de la Grèce assembla-t-il l'élite?
Pourquoi, trop jeune encor, ne pûtes-vous alors
Entrer dans le vaisseau qui le mit sur nos bords?
Par vous aurait péri le monstre de la Crète,
20 Malgré tous les détours de sa vaste retraite[2].
Pour en développer l'embarras incertain,
Ma sœur du fil fatal[3] eût armé votre main.
Mais non, dans ce dessein je l'aurais devancée:
L'amour m'en eût d'abord inspiré la pensée.
25 C'est moi, Prince, c'est moi dont l'utile secours
Vous eût du Labyrinthe enseigné les détours.
Que de soins m'eût coûtés cette tête charmante!
Un fil n'eût point assez rassuré votre amante.
Compagne du péril qu'il vous fallait chercher,
30 Moi-même devant vous j'aurais voulu marcher;
Et Phèdre au Labyrinthe avec vous descendue
Se serait avec vous retrouvée, ou perdue.

Hippolyte

Dieux! qu'est-ce que j'entends! Madame, oubliez-vous
Que Thésée est mon père, et qu'il est votre époux?

Phèdre

35 Et sur quoi jugez-vous que j'en perds la mémoire,
Prince? Aurais-je perdu tout le soin de ma gloire?

Hippolyte

Madame, pardonnez. J'avoue, en rougissant,
Que j'accusais à tort un discours innocent.
Ma honte ne peut plus soutenir votre vue;
40 Et je vais...

Phèdre

Ah! cruel, tu m'as trop entendue.
Je t'en ai dit assez pour te tirer d'erreur.
Hé bien! connais donc Phèdre et toute sa fureur.

---

1. Ariane et Phèdre.
2. Le labyrinthe.
3. Le fil d'Ariane.

J'aime. Ne pense pas qu'au moment que je t'aime,
45 Innocente à mes yeux, je m'approuve moi-même ;
Ni que du fol amour qui trouble ma raison
Ma lâche complaisance ait nourri le poison.
Objet infortuné des vengeances célestes,
Je m'abhorre encor plus que tu ne me détestes.
50 Les dieux m'en sont témoins, ces dieux qui dans mon flanc,
Ont allumé le feu fatal à tout mon sang,
Ces dieux qui se sont fait une gloire cruelle
De séduire le cœur d'une faible mortelle.
Toi-même en ton esprit rappelle le passé.
55 C'est peu de t'avoir fui, cruel, je t'ai chassé ;
J'ai voulu te paraître odieuse, inhumaine ;
Pour mieux te résister, j'ai recherché ta haine.
De quoi m'ont profité mes inutiles soins ?
Tu me haïssais plus, je ne t'aimais pas moins.
60 Tes malheurs te prêtaient encor de nouveaux charmes.
J'ai langui, j'ai séché, dans le feu, dans les larmes.
Il suffit de tes yeux pour t'en persuader,
Si tes yeux un moment pouvaient me regarder.
Que dis-je ? Cet aveu que je te viens de faire,
65 Cet aveu si honteux, le crois-tu volontaire ?
Tremblante pour un fils que je n'osais trahir,
Je te venais prier de ne le point haïr.
Faibles projets d'un cœur trop plein de ce qu'il aime !
Hélas ! je ne t'ai pu parler que de toi-même.
70 Venge-toi, punis-moi d'un odieux amour.
Digne fils du héros qui t'a donné le jour,
Délivre l'univers d'un monstre qui t'irrite.
La veuve de Thésée ose aimer Hippolyte !
Crois-moi, ce monstre affreux ne doit point t'échapper.
75 Voilà mon cœur. C'est là que ta main doit frapper.
Impatient déjà d'expier son offense,
Au-devant de ton bras je le sens qui s'avance.
Frappe. Ou si tu le crois indigne de tes coups,
Si ta haine m'envie un supplice si doux,
80 Ou si d'un sang trop vil ta main serait trempée,
Au défaut de ton bras prête-moi ton épée.
Donne.

ŒNONE
Que faites-vous Madame ? Justes Dieux !
Mais on vient. Évitez des témoins odieux ;
85 Venez, rentrez, fuyez une honte certaine.

La comédie, de son côté, est jugée plus ou moins suspecte jusqu'à l'arrivée de Jean-Baptiste Poquelin, dit Molière (1622-1673). Celui-ci va raffiner le genre et l'anoblir en alliant au comique la profondeur, au point que son talent sera bientôt reconnu à l'égal de celui de ses contemporains Racine et Corneille. Observateur attentif de la société, Molière utilise la satire et la moquerie pour en dénoncer les vices et les contradictions. Dans le respect de l'esprit classique, il fait aussi l'éloge de la vérité, de la sincérité, de la mesure et du bon sens, enfin toutes ces qualités que doit rechercher l'«honnête homme» du XVIIᵉ siècle.

Pierre Narcisse Guérin (1774-1833). *Phèdre et Hippolyte* (1802). Musée du Louvre, Paris, France.

Dans *Dom Juan*, Molière met en scène un libertin réfractaire à toute morale, qui va de conquête en conquête, et son valet Sganarelle, personnage issu de la *commedia dell'arte*, qui représente ici le conformisme. Tout au long de la pièce, les deux personnages vont opposer leurs visions contradictoires du monde.

ŒUVRE

Molière (1622-1673)

Dom Juan

Acte I, scène 2

DOM JUAN. — Eh bien, je te donne la liberté de parler, et de me dire tes sentiments.

SGANARELLE. — En ce cas, Monsieur, je vous dirai franchement que je n'approuve point votre méthode, et que je trouve fort vilain d'aimer de tous
5 côtés comme vous faites.

DOM JUAN. — Quoi? tu veux qu'on se lie à demeurer au premier objet qui nous prend, qu'on renonce au monde pour lui, et qu'on n'ait plus d'yeux pour personne? La belle chose de vouloir se piquer d'un faux honneur d'être fidèle, de s'ensevelir pour toujours dans une passion, et d'être mort dès sa jeunesse,
10 à toutes les autres beautés qui nous peuvent frapper les yeux: non, non, la constance n'est bonne que pour des ridicules, toutes les belles ont droit de nous charmer, et l'avantage d'être rencontrée la première, ne doit point dérober aux autres les justes prétentions qu'elles ont toutes sur nos cœurs. Pour moi, la beauté me ravit partout, où je la trouve; et je cède facilement à cette douce
15 violence, dont elle nous entraîne; j'ai beau être engagé, l'amour que j'ai pour

une belle, n'engage point mon âme à faire injustice aux autres ; je conserve des yeux pour voir le mérite de toutes, et rends à chacune les hommages, et les tributs où la nature nous oblige. Quoi qu'il en soit, je ne puis refuser mon cœur à tout ce que je vois d'aimable, et dès qu'un beau visage me le demande,
20 si j'en avais dix mille, je les donnerais tous. Les inclinations naissantes après tout, ont des charmes inexplicables, et tout le plaisir de l'amour est dans le changement. On goûte une douceur extrême à réduire par cent hommages le cœur d'une jeune beauté, à voir de jour en jour les petits progrès qu'on y fait ; à combattre par des transports, par des larmes, et des soupirs, l'inno-
25 cente pudeur d'une âme, qui a peine à rendre les armes, à forcer pied à pied toutes les petites résistances qu'elle nous oppose, à vaincre les scrupules, dont elle se fait un honneur, et la mener doucement, où nous avons envie de la faire venir. Mais lorsqu'on est maître une fois il n'y a plus rien à dire, ni rien à souhaiter, tout le beau de la passion est fini, et nous nous endormons
30 dans la tranquillité d'un tel amour, si quelque objet nouveau ne vient réveiller nos désirs, et présenter à notre cœur les charmes attrayants d'une conquête à faire. Enfin, il n'est rien de si doux, que de triompher de la résistance d'une belle personne ; et j'ai sur ce sujet l'ambition des conquérants, qui volent per-pétuellement de victoire en victoire, et ne peuvent se résoudre à borner leurs
35 souhaits. Il n'est rien qui puisse arrêter l'impétuosité de mes désirs, je me sens un cœur à aimer toute la terre ; et comme Alexandre, je souhaiterais qu'il y eût d'autres mondes, pour pouvoir étendre mes conquêtes amoureuses.

Sganarelle. — Vertu de ma vie, comme vous débitez ; il semble que vous ayez appris cela par cœur, et vous parlez tout comme un livre.

40 Dom Juan. — Qu'as-tu à dire là-dessus ?

Sganarelle. — Ma foi, j'ai à dire, je ne sais que dire ; car vous tournez les choses d'une manière, qu'il semble que vous avez raison et cependant il est vrai que vous ne l'avez pas. J'avais les plus belles pensées du monde, et vos discours m'ont brouillé tout cela ; laissez faire, une autre fois je mettrai mes
45 raisonnements par écrit, pour disputer avec vous.

Le roman

Sous Louis XIV, le roman poursuit son évolution alors que sont publiés une quinzaine de nouveaux romans chaque année, dont la plupart ont pour thème principal l'amour. Les romans-fleuves aux intrigues multiples et souvent invraisemblables font place à la brièveté, à la sobriété et au réalisme. Au milieu des parodies et des œuvres satiriques, on assiste à l'éclosion du roman historique. Le roman de Madame de La Fayette (1634-1693), *La princesse de Clèves* (1678), en est un bon exemple. Cette histoire qui relate un amour contrarié par l'honneur est en tout point conforme à l'esthétique classique. L'intrigue et le décor ont été transposés au XVIᵉ siècle à la cour des Valois, mais le style de vie et la psychologie des personnages évoquent plutôt le règne de Louis XIV. Dans son roman, Madame de La Fayette dépeint avec une égale justesse les tourments du cœur et la rigidité d'une société régie par des règles morales et des impératifs mondains.

La scène dans laquelle la princesse de Clèves avoue à son mari l'amour qu'elle porte au duc de Nemours a provoqué un scandale à l'époque. Plusieurs y ont vu une morale à l'encontre de celle des «honnêtes gens».

Madame de La Fayette (1634-1693)

La princesse de Clèves

«Vous ne me dites rien, reprit-il, et c'est me dire que je ne me trompe pas. — Eh bien, monsieur, lui répondit-elle en se jetant à ses genoux, je vais vous faire un aveu que l'on n'a jamais fait à son mari; mais l'inno-
5 cence de ma conduite et de mes intentions m'en donne la force. Il est vrai que j'ai des raisons de m'éloigner de la cour, et que je veux éviter les périls où se trouvent quelquefois les personnes de mon âge. Je n'ai jamais donné nulle marque de faiblesse, et je ne craindrais pas d'en laisser paraître, si vous me laissiez la liberté de me retirer de la cour, ou si j'avais
10 encore Mᵐᵉ de Chartres pour aider à me conduire. Quelque dangereux que soit le parti que je prends, je le prends avec joie pour me conserver digne d'être à vous. Je vous demande mille pardons, si j'ai des sentiments qui vous déplaisent: du moins je ne vous déplairai jamais par mes actions. Songez que, pour faire ce que je fais, il faut avoir plus d'amitié et plus d'estime pour
15 un mari que l'on n'en a jamais eu: conduisez-moi, ayez pitié de moi, et aimez-moi encore, si vous pouvez.»

M. de Clèves était demeuré, pendant tout ce discours, la tête appuyée sur ses mains, hors de lui-même, et il n'avait pas songé à faire relever sa femme. Quand elle eut cessé de parler, qu'il la vit à ses genoux, le visage couvert de
20 larmes, et d'une beauté si admirable, il pensa mourir de douleur, et l'embrassant en la relevant: «Ayez pitié de moi vous-même, madame, lui dit-il, j'en suis digne, et pardonnez si dans les premiers moments d'une affliction aussi violente qu'est la mienne, je ne réponds pas comme je dois à un procédé comme le vôtre. Vous me paraissez plus digne d'estime et d'admiration que tout ce
25 qu'il y a jamais eu de femmes au monde; mais aussi je me trouve le plus malheureux homme qui ait jamais été. Vous m'avez donné de la passion dès le premier moment que je vous ai vue; vos rigueurs et votre possession n'ont pu l'éteindre, elle dure encore: je n'ai jamais pu vous donner de l'amour, et je vois que vous craignez d'en avoir pour un autre. Et qui est-il, madame, cet
30 homme heureux qui vous donne cette crainte? Depuis quand vous plaît-il? Qu'a-t-il fait pour vous plaire? Quel chemin a-t-il trouvé pour aller à votre cœur? Je m'étais consolé en quelque sorte de ne l'avoir pas touché, par la pensée qu'il était incapable de l'être. Cependant un autre fait ce que je n'ai pu faire: j'ai tout ensemble la jalousie d'un mari et celle d'un amant; mais il
35 est impossible d'avoir celle d'un mari après un procédé comme le vôtre. Il est trop noble pour ne me pas donner une sûreté; il me console même comme votre amant. La confiance et la sincérité que vous avez pour moi sont d'un prix infini: vous m'estimez assez pour croire que je n'abuserai pas de cet aveu.

Vous avez raison, madame, je n'en abuserai pas et je ne vous en aimerai pas
40 moins. Vous me rendez malheureux par la plus grande marque de fidélité
que jamais une femme ait donnée à son mari; mais, madame, achevez, et
apprenez-moi qui est celui que vous voulez éviter.

La fable

Issue des cultures gréco-latine et orientale, la fable renaît à l'époque classique
pour communiquer un enseignement moral et philosophique. Sous la plume de
Jean de La Fontaine (1621-1695), qui puise abondamment dans le répertoire du
fabuliste grec Ésope, elle se transforme d'une façon fort originale pour exprimer
les idées et les sentiments de son auteur. Privilégiant un style léger et agréable, en
apparence anodin, ce virtuose du langage dénonce impitoyablement la vanité des
puissants et les injustices qui sont le lot des petites gens. Les *Fables* brossent un
portrait pessimiste de l'âme humaine; en cela, la vision de La Fontaine est
conforme à celle de la plupart des auteurs de son époque.

Dans *Les animaux malades de la peste*, La Fontaine s'en prend aux gouvernants
qui fuient leurs responsabilités dans les moments difficiles et trouvent toujours un
bouc émissaire prêt à recevoir le blâme.

Jean de La Fontaine (1621-1695)

Les animaux malades de la peste

Livre VII, fable 1

Un mal qui répand la terreur,
Mal que le Ciel en sa fureur
Inventa pour punir les crimes de la terre,
La Peste (puisqu'il faut l'appeler par son nom),
5 Capable d'enrichir en un jour l'Achéron[1],
Faisait aux Animaux la guerre.
Ils ne mouraient pas tous, mais tous étaient frappés:
On n'en voyait point d'occupés
À chercher le soutien d'une mourante vie;
10 Nul mets n'excitait leur envie;
Ni loups ni renards n'épiaient
La douce et l'innocente proie.
Les tourterelles se fuyaient:
Plus d'amour, partant plus de joie.
15 Le Lion tint conseil, et dit: «Mes chers amis,
Je crois que le Ciel a permis
Pour nos péchés cette infortune.
Que le plus coupable de nous

1. Endroit où se retrouvent les morts.

Se sacrifie aux traits du céleste courroux;
20 Peut-être il obtiendra la guérison commune.
L'histoire nous apprend qu'en de tels accidents,
On fait de pareils dévouements.
Ne nous flattons donc point; voyons sans indulgence
L'état de notre conscience.
25 Pour moi, satisfaisant mes appétits gloutons,
J'ai dévoré force moutons.
Que m'avaient-ils fait? Nulle offense;
Même il m'est arrivé quelquefois de manger
Le berger.
30 Je me dévouerai donc, s'il le faut; mais je pense
Qu'il est bon que chacun s'accuse ainsi que moi:
Car on doit souhaiter, selon toute justice,
Que le plus coupable périsse.
— Sire, dit le Renard, vous êtes trop bon roi;
35 Vos scrupules font voir trop de délicatesse.
Eh bien! manger moutons, canaille, sotte espèce,
Est-ce un péché? Non, non. Vous leur fîtes, Seigneur,
En les croquant, beaucoup d'honneur;
Et quant au berger, l'on peut dire
40 Qu'il était digne de tous maux,
Étant de ces gens-là qui sur les animaux
Se font un chimérique empire.»
Ainsi dit le Renard; et flatteurs d'applaudir.
On n'osa trop approfondir
45 Du Tigre, ni de l'Ours, ni des autres puissances,
Les moins pardonnables offenses.
Tous les gens querelleurs, jusqu'aux simples mâtins[1],
Au dire de chacun, étaient de petits saints.
L'Âne vint à son tour, et dit: «J'ai souvenance
50 Qu'en un pré de moines passant,
La faim, l'occasion, l'herbe tendre, et, je pense,
Quelque diable aussi me poussant,
Je tondis de ce pré la largeur de ma langue.
Je n'en avais nul droit puisqu'il faut parler net.»
55 À ces mots, on cria haro sur le Baudet.
Un Loup, quelque peu clerc, prouva par sa harangue
Qu'il fallait dévorer ce maudit animal,
Ce pelé, ce galeux, d'où venait tout leur mal.
Sa peccadille fut jugée un cas pendable.
60 Manger l'herbe d'autrui! quel crime abominable!
Rien que la mort n'était capable
D'expier son forfait: on le lui fit bien voir.

Selon que vous serez puissant ou misérable,
Les jugements de cour vous rendront blanc ou noir.

Imam Bakhsh Lahori,
Lahore v. 1837. *Les
animaux malades
de la peste*, Jean de La
Fontaine, Fable 1, Livre 7.
Collection Musée
Jean de La Fontaine,
Château-Thierry, France.

---

1. Gros chien de garde ou de chasse.

Le conte

Issu de la tradition orale, inconnu dans l'Antiquité, le conte se présente comme un genre nouveau. Charles Perrault (1628-1703), personnalité très en vue à la cour et écrivain prolifique, en est le principal instigateur. Passionné par la culture populaire, il adapte les récits qu'elle a fait naître afin de pouvoir les transmettre aux gens de la cour. Cette nouvelle forme, qui fait une large place à l'imaginaire et à l'invraisemblable, contient cependant la nécessaire dimension morale associée au classicisme. Destinés à l'origine à un public adulte, les contes de Perrault recèlent une symbolique riche par laquelle l'auteur fait valoir ses idées. Ses *Contes du temps passé* remportent un succès immédiat.

Charles Perrault (1628-1703)

Le petit chaperon rouge

Il était une fois une petite fille de village, la plus jolie qu'on eût su voir: sa mère en était folle, et sa grand-mère plus folle encore. Cette bonne femme lui fit faire un petit chaperon rouge qui lui seyait si bien, que par-
5 tout on l'appelait le Petit Chaperon rouge.

Un jour, sa mère ayant cuit et fait des galettes, lui dit: «Va voir comment se porte ta mère-grand, car on m'a dit qu'elle était malade. Porte-lui une galette et ce petit pot de beurre.» Le Petit Chaperon rouge partit aussitôt pour aller chez sa mère-grand, qui demeurait dans un autre village. En passant dans un
10 bois, elle rencontra compère le Loup, qui eut bien envie de la manger; mais il n'osa, à cause de quelques bûcherons qui étaient dans la forêt. Il lui demanda où elle allait. La pauvre enfant, qui ne savait pas qu'il était dangereux de s'arrê-ter à écouter un loup, lui dit: «Je vais voir ma mère-grand, et lui porter une galette, avec un petit pot de beurre, que ma mère lui envoie. — Demeure-t-elle
15 bien loin? lui dit le Loup. — Oh! oui, dit le Petit Chaperon rouge; c'est par-delà le moulin que vous voyez tout là-bas, à la première maison du village. – Eh bien! dit le Loup, je veux l'aller voir aussi; je m'y en vais par ce chemin-ci, et toi par ce chemin-là; et nous verrons à qui plus tôt y sera.»

Le loup se mit à courir de toute sa force par le chemin qui était le plus court,
20 et la petite fille s'en alla par le chemin le plus long, s'amusant à cueillir des noisettes, à courir après les papillons, et à faire des bouquets des petites fleurs qu'elle rencontrait.

Le loup ne fut pas longtemps à arriver à la maison de la mère-grand; il heurte: toc, toc. — «Qui est là? — C'est votre fille, le Petit Chaperon rouge, dit le Loup
25 en contrefaisant sa voix, qui vous apporte une galette et un petit pot de beurre, que ma mère vous envoie.» La bonne mère-grand, qui était dans son lit, à cause qu'elle se trouvait un peu mal, lui cria: «Tire la chevillette, la bobinette cherra.» Le loup tira la chevillette, et la porte s'ouvrit. Il se jeta sur la bonne

femme, et la dévora en moins de rien, car il y avait plus de trois jours qu'il
30 n'avait mangé. Ensuite il ferma la porte, et s'alla coucher dans le lit de la
mère-grand, en attendant le Petit Chaperon rouge, qui, quelque temps après,
vint heurter à la porte: toc, toc. — «Qui est là?» Le Petit Chaperon rouge, qui
entendit la grosse voix du Loup, eut peur d'abord, mais, croyant que sa mère-
grand était enrhumée, répondit: « C'est votre fille, le Petit Chaperon rouge,
35 qui vous apporte une galette et un petit pot de beurre, que ma mère vous
envoie.» Le loup lui cria en adoucissant un peu sa voix: «Tire la chevillette, la
bobinette cherra.» Le Petit Chaperon rouge tira la chevillette, et la porte s'ouvrit.

Le loup, la voyant entrer, lui dit en se cachant dans le lit, sous la couverture:
«Mets la galette et le petit pot de beurre sur la huche, et viens te coucher
40 avec moi.» Le Petit Chaperon rouge se déshabille, et va se mettre dans le lit,
où elle fut bien étonnée de voir comment sa mère-grand était faite en son
déshabillé. Elle lui dit: «Ma mère-grand, que vous avez de grands bras!
— C'est pour mieux t'embrasser, ma fille! — Ma mère-grand, que vous avez
de grandes jambes! — C'est pour mieux courir, mon enfant! — Ma mère-
45 grand, que vous avez de grandes oreilles!
— C'est pour mieux écouter, mon enfant!
— Ma mère-grand, que vous avez de grands
yeux! — C'est pour mieux voir, mon enfant!
— Ma mère-grand, que vous avez de grandes
dents! — C'est pour te manger!» Et, en disant
ces mots, ce méchant loup se jeta sur le Petit
Chaperon rouge, et la mangea.

Moralité

On voit ici que de jeunes enfants,
Surtout de jeunes filles
Belles, bien faites et gentilles,
Font très mal d'écouter toute sorte de gens,
5 Et que ce n'est pas chose étrange,
S'il en est tant que le loup mange.
Je dis le loup, car tous les loups
Ne sont pas de la même sorte:
Il en est d'une humeur accorte,
10 Sans bruit, sans fiel[1] et sans courroux,
Qui, privés, complaisants et doux,
Suivent les jeunes demoiselles
Jusque dans les maisons, jusque dans les ruelles.
Mais, hélas! qui ne sait que ces loups doucereux,
15 De tous les loups sont les plus dangereux!

LE PETIT CHAPERON CHEZ LA MÈRE-GRAND.

En voyant entrer, le Loup lui dit, en se cachant sous la couverture : Mets la galette et le petit pot de beurre sur la huche et viens te coucher avec moi.

Illustration (s.d.) tirée
du *Petit chaperon rouge*,
de Charles Perrault.
Musée des arts et traditions
populaires, Paris, France.

---

1. Mauvaise humeur qui s'accompagne de méchanceté; dans la théorie des humeurs (voir p. 6),
réfère à la bile.

L'OPPOSITION ENTRE ANCIENS ET MODERNES

L a fin du XVIIᵉ siècle est le théâtre d'une querelle entre Anciens et Modernes provoquée par un poème de Charles Perrault intitulé «Le siècle de Louis le Grand» (1687).

Charles Perrault (1628-1703)

Le siècle de Louis le Grand

La belle Antiquité fut toujours vénérable,
Mais je ne crus jamais qu'elle fût adorable.
Je vois les Anciens, sans plier les genoux,
Ils sont grands, il est vrai, mais hommes comme nous :
5 Et l'on peut comparer sans craindre d'être injuste,
Le Siècle de LOUIS au beau Siècle d'Auguste[1].
En quel temps sut-on mieux le dur métier de Mars[2]?
Quand d'un plus vif assaut força-t-on des remparts ?
Et quand vit-on monter au sommet de la gloire,
10 D'un plus rapide cours le char de la Victoire ?
Si nous voulions ôter le voile spécieux,
Que la Prévention nous met devant les yeux,
Et lassés d'applaudir à mille erreurs grossières,
Nous servir quelquefois de nos propres lumières,
15 Nous verrions clairement que sans témérité,
On peut n'adorer pas toute l'Antiquité,
Et qu'enfin dans nos jours, sans trop de confiance,
On lui peut disputer le prix de la science. [...]
Jamais l'Astre du jour qu'aujourd'hui nous voyons,
20 N'eut le front couronné de plus brillants rayons,
Jamais dans le Printemps les roses empourprées
D'un plus vif incarnat ne furent colorées :
Non moins blanc qu'autrefois brille dans nos jardins
L'éblouissant émail des lis et des jasmins,
25 Et dans le siècle d'or la tendre Philomèle[3]
Qui charmait nos aïeux de sa chanson nouvelle,
N'avait rien de plus doux que celle dont la voix
Réveille les échos qui dorment dans nos bois :
De cette même main les forces infinies
30 Produisent en tout temps de semblables génies.
Les Siècles, il est vrai, sont entre eux différents,
Il en fut d'éclairés, il en fut d'ignorants,
Mais si le règne heureux d'un excellent Monarque
Fut toujours de leur prix et la cause et la marque,
35 Quel Siècle pour ses Rois, des hommes révérés,
Au Siècle de LOUIS peut être préféré ?

1. Empereur romain (63 av. J.-C. – 14 apr. J.-C.).
2. Dieu de la guerre dans la mythologie romaine.
3. Personnification du rossignol.

La discorde, qui dure près de sept ans, est alimentée à coups d'épigrammes, de lettres et d'articles. La question au cœur du problème est de savoir si les œuvres antiques représentent les modèles définitifs du Beau. De façon plus générale, cette querelle oppose la tradition à la modernité. Parmi les défenseurs de cette dernière approche se trouvent Perrault, chef de file des Modernes, et Fontenelle. Les partisans de la modernité renoncent à copier les modèles antiques et insistent sur l'innovation, car ils croient au progrès de l'art. Selon eux, les artistes doivent tenir compte de leur époque et adapter leur art à la sensibilité et aux goûts de leurs contemporains. Dans cette perspective, les Modernes cherchent à explorer de nouvelles formes d'écriture. Par ailleurs, les artistes peuvent toujours s'inspirer des Anciens, mais ne doivent pas pour autant négliger les œuvres contemporaines françaises et étrangères, comme *Don Quichotte*, de l'Espagnol Cervantès. Du côté des Anciens, défendus par Boileau, Racine, La Fontaine, Bossuet, Fénelon et La Bruyère, on croit plutôt que les modèles de l'Antiquité gréco-latine constituent un idéal de perfection jamais égalé que tous les bons auteurs se doivent d'imiter. Selon eux, tout a été dit une fois pour toutes, et ce, de la plus belle façon qu'on puisse imaginer. Il ne reste aux bons auteurs qu'à reprendre indéfiniment ces modèles de perfection éternels qui leur permettront, à eux aussi, de passer à la postérité.

Le débat, qui se déroule dans les journaux, voit s'épanouir la critique littéraire, une activité jusque-là peu pratiquée. Les idées soutenues par les Modernes gagnent peu à peu du terrain, car la marche de l'évolution ne peut être arrêtée.

Claude Gellée dit Le Lorrain (1600-1682). *Port maritime à l'aube* (1674). Alte Pinakothek, Munich, Allemagne.

Les Modernes appuient leur position à l'égard de la création littéraire d'une critique de la société. Par leur opposition à l'intolérance et à l'absolutisme, ils annoncent le siècle des Lumières. Ce débat médiatique aura aussi permis de constater l'importance de l'opinion publique: désormais les œuvres s'adresseront au peuple, qu'elles tenteront de convaincre et de séduire.

SYNTHÈSE Le Grand Siècle

Les innovations linguistiques

■ Le français moderne: avec la création de l'Académie française en 1635, la langue française commence à obéir à des règles. L'Académie a pour mandat de rédiger un dictionnaire et une grammaire dans le but de fixer définitivement la langue. Cette période marque le début du « bon usage »: désormais, il n'existe qu'une seule façon d'écrire correctement le français.

Les courants de pensée

■ Le baroque
La période baroque se caractérise par l'expression de la fantaisie et de l'imagination, ainsi que par le goût de l'excès. L'esthétique baroque en littérature fait montre d'une très grande liberté d'expression. Les œuvres décrivent souvent des situations extrêmes de la conscience et sont riches en rebondissements.

■ Le classicisme
Le classicisme se caractérise par la recherche de l'équilibre et l'application de normes où domine la raison. On se soucie de la vraisemblance et de la bienséance, tout en respectant les règles des trois unités (lieu, action, temps). Fortement influencées par la culture antique, seul modèle digne d'être copié, les œuvres classiques visent une forme universelle à travers une langue pure et claire.

Chapitre 4

Le siècle des Lumières

Jean-Baptiste Greuze (1725-1805). *A Boy with a Lesson-book* (1757).
National Galleries of Scotland, Édimbourg, Royaume-Uni.

Le siècle des Lumières au fil du temps

	1715	1721	1727	1733	1739	1745	1751

Littérature française

Pierre Carlet de Chamblain de Marivaux (1688-1763)

Le jeu de l'amour et du hasard – 1730

Montesquieu (1689-1755)

1721 – *Lettres persanes*   De l'esprit des lois – 1748

Voltaire (1694-1778)

1747 – *Zadig*

Antoine François Prévost, dit l'abbé Prévost (1697-1763)

1731 – *Manon Lescaut*

Jean-Jacques Rousseau (1712-1778)

Denis Diderot (1713-1784)

Pierre Augustin Caron de Beaumarchais (1732-1799)

Pierre Choderlos de Laclos (1741-1803)

Littérature d'autres pays

Daniel Defoe (1660-1731)

1719 – *Robinson Crusoé*

Jonathan Swift (1667-1745)

1726 – *Voyages de Gulliver*

Henry Fielding (1707-1754)

Tom Jones – 1749

David Hume (1711-1776)

Essai sur l'entendement humain – 1748

Laurence Sterne (1713-1768)

Emmanuel Kant (1724-1804)

Société et culture

1715 – Mort de Louis XIV

Régence de Philippe d'Orléans (1715-1723)

1720 – Échec du système bancaire de Law, suivi d'émeutes dans Paris

Règne de Louis XV (1715-1774)

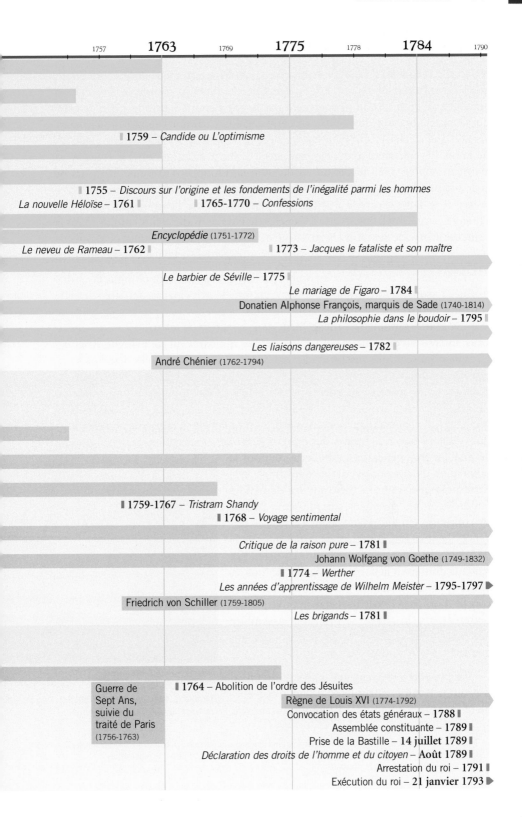

| 1757 | **1763** | 1769 | **1775** | 1778 | **1784** | 1790 |

1759 – *Candide ou L'optimisme*

1755 – *Discours sur l'origine et les fondements de l'inégalité parmi les hommes*
La nouvelle Héloïse – 1761   1765-1770 – *Confessions*

Encyclopédie (1751-1772)
Le neveu de Rameau – 1762   1773 – *Jacques le fataliste et son maître*

Le barbier de Séville – 1775
Le mariage de Figaro – 1784
Donatien Alphonse François, marquis de Sade (1740-1814)
La philosophie dans le boudoir – 1795

Les liaisons dangereuses – 1782
André Chénier (1762-1794)

1759-1767 – *Tristram Shandy*
1768 – *Voyage sentimental*

Critique de la raison pure – 1781
Johann Wolfgang von Goethe (1749-1832)
1774 – *Werther*
Les années d'apprentissage de Wilhelm Meister – 1795-1797 ▶
Friedrich von Schiller (1759-1805)
Les brigands – 1781

Guerre de
Sept Ans,
suivie du
traité de Paris
(1756-1763)

1764 – Abolition de l'ordre des Jésuites
Règne de Louis XVI (1774-1792)
Convocation des états généraux – 1788
Assemblée constituante – 1789
Prise de la Bastille – **14 juillet 1789**
Déclaration des droits de l'homme et du citoyen – **Août 1789**
Arrestation du roi – 1791
Exécution du roi – **21 janvier 1793** ▶

Le contexte sociohistorique (1715-1789)

La fin du règne de Louis XIV est marquée par des guerres, une crise économique, la censure et la persécution des protestants. La mort du souverain, en 1715, est accueillie avec un certain soulagement par la population. Si le long règne de celui qui se faisait appeler le Roi-Soleil peut être considéré comme l'apogée de la monarchie, le déclin qui s'ensuit peut être qualifié de rapide et brutal. L'arrière-petit-fils de Louis XIV n'étant âgé que de cinq ans à la mort du monarque, la régence est assurée jusqu'en 1723 par le neveu de celui-ci, Philippe d'Orléans. Au cours de cette période, les nobles s'élèvent contre l'absolutisme ; le Parlement parvient entre autres à se faire accorder un droit de remontrance à l'endroit du souverain. Lorsqu'il accède au trône, Louis XV engage le pays dans différents conflits, dont la coûteuse guerre de Sept Ans (1756-1763), à l'issue de laquelle la France perd notamment le Canada. Louis XV meurt en 1774 ; son petit-fils, Louis XVI, lui succède.

Le règne de Louis XVI est assombri par une grave crise économique. Pour différentes raisons, le monarque est désigné comme le principal responsable de cette situation désastreuse : dépenses extravagantes de la cour (en particulier celles de la reine Marie-Antoinette), engagement dans la guerre d'indépendance des États-Unis, intérêts élevés sur des emprunts, etc. Les ministres du roi (Turgot, Brienne, Calonne, Necker) lui conseillent alors de lever les impôts payables désormais par tous, y compris l'aristocratie. De plus, le roi retire aux parlementaires leurs droits politiques. Les disettes engendrées par les récoltes catastrophiques donnent lieu à des émeutes dans Paris. Devant cette situation dramatique, le roi convoque les états généraux – au cours desquels les trois ordres[1] sont appelés à rédiger leurs revendications – dans l'espoir de trouver des moyens de renflouer ses coffres. Loin de résoudre la crise, les états généraux sont l'occasion pour la population d'exiger une véritable réforme du système politique français. Bien que les demandes des trois ordres divergent sur plusieurs points, un consensus émerge relativement à certaines exigences. Le tiers état, conscient de représenter 98 % de la population, revendique la fin des privilèges féodaux dont jouit la noblesse, l'égalité de tous les citoyens devant la loi ainsi que l'élaboration d'une constitution. En 1789, le tiers état, appuyé par des représentants du clergé, se proclame Assemblée nationale. Celle-ci jure de ne pas se dissoudre tant que la France n'aura pas sa constitution.

Le 14 juillet 1789, le peuple se révolte et prend d'assaut la Bastille, alors prison d'État. Cet événement marque le début de la Révolution française.

Jean-Baptiste Lallemand (1716-1803). *La prise de la Bastille le 14 juillet 1789* (1789). Musée Carnavalet, Paris, France.

---

1. La société française se compose de trois ordres : le clergé (qui représente près de 130 000 personnes), la noblesse (environ 300 000 personnes) et le tiers état (plus de 24 millions de personnes, qui représentent 98 % de la population).

Au mois d'août, l'Assemblée adopte la *Déclaration des droits de l'homme et du citoyen* et abolit tous les privilèges de la noblesse. Le roi perd progressivement la confiance de la population; il est destitué après avoir tenté de fuir la France. Accusé de trahison, Louis XVI est exécuté sur la place publique le 21 janvier 1793.

LA CULTURE ET LES CROYANCES AU SIÈCLE DES LUMIÈRES

Le débat entre les Anciens et les Modernes, enclenché à la fin du siècle précédent, se poursuit au tournant du nouveau siècle. Les Modernes ont recours à plusieurs formes littéraires pour diffuser leurs idées, tels le pamphlet, le discours, l'article, la lettre et l'essai. En raison de l'alphabétisation croissante, pour la première fois de l'histoire, le débat parvient à atteindre un lectorat plus vaste, ce qui va permettre l'éclosion d'une force jusque-là sous-estimée: l'opinion publique. Plutôt que de chercher à plaire à une élite aristocratique, les écrivains et autres intellectuels du temps se donnent pour mission d'éduquer la population; celle-ci peut désormais se doter des moyens qui lui permettront d'exercer son jugement: la France est prête à accueillir les Lumières.

ENCADRÉ | DOCUMENTAIRE

La montée de l'opinion publique

La profusion et la variété des ouvrages diffusés (*Encyclopédie*, traités, journaux, romans, etc.) permettent à un bassin de population grandissant d'enrichir ses connaissances et de développer un esprit critique: l'opinion du roi n'est plus la seule qui compte. L'opinion publique découvre qu'elle aussi peut jouer de son influence; elle prend conscience que son pouvoir dépasse même celui des académies. Les écrivains, de leur côté, préfèrent se distancier des critères académiques et sont davantage portés à tenir compte des goûts du public.

Par ailleurs, l'émergence de l'opinion publique au XVIIIe siècle permet de faire progresser la lutte contre le despotisme et la superstition. Progressivement, la critique populaire prend l'allure d'un tribunal et s'arroge le droit de juger tout le monde, même le roi. Dans ce contexte, les gens de lettres s'affirment de plus en plus comme des défenseurs de la justice, exposant dans leurs écrits les abus et les erreurs du pouvoir, tant religieux que monarchique. Ainsi, des pamphlets dénoncent l'absurdité des affaires Calas (1762) et de La Barre (1764): dans l'affaire Calas, un père est accusé d'avoir assassiné son fils parce que celui-ci voulait renier sa religion; dans l'affaire de La Barre, un chevalier est exécuté pour avoir mutilé un crucifix. Dans l'ensemble, les causes portées devant le tribunal de l'opinion publique – et défendues entre autres par Voltaire et Diderot – ont trait à l'intolérance religieuse, aux abus commis par la noblesse, à l'esclavagisme ou encore à l'enfermement des filles dans les couvents.

Lecture du journal par les politiques de la petite Provence au jardin des Tuileries (fin du XVIIe siècle). Bibliothèque nationale de France (Estampes, Rés. VE-53h-Fol.), Paris, France.

QUE SONT LES LUMIÈRES ?

Les « Lumières » sont la manifestation d'un puissant courant d'idées qui se traduit par une nouvelle attitude morale et intellectuelle appliquée à tous les domaines : société, politique, religion, art, etc. Ce nouvel état d'esprit est avant tout celui des « philosophes », qui succèdent aux libertins, ou libres penseurs, du Grand Siècle.

Les philosophes des Lumières sont en fait des intellectuels, le plus souvent des écrivains, issus majoritairement de la bourgeoisie. Cette société pour le moins hétéroclite s'est rassemblée sous la dénomination de « philosophes » ou « écrivains-philosophes » en raison des idées progressistes qui sont partagées par l'ensemble du groupe.

Le philosophe jette un regard nouveau sur tout ce qui l'entoure. Il remet en question les idées préconçues et se sert de son jugement pour séparer le vrai du faux. Ainsi, il valorise les idées qui vont dans le sens de la liberté, du progrès ou encore de l'amélioration des conditions de vie de la population en général. Plutôt que de s'interroger sur ses états d'âme, le philosophe se questionne sur sa fonction sociale et politique. Engagé, il veut agir sur la société en l'éduquant, afin de détruire « tous les préjugés dont la société est infectée » (Voltaire)[1]. La littérature devient alors pour le philosophe un moyen de toucher les consciences. L'expression la plus manifeste de l'esprit philosophique est sans contredit l'*Encyclopédie,* qui témoigne de la lutte des philosophes contre l'injustice, l'intolérance, la superstition et les abus de toutes sortes.

LE PROJET DE L'*ENCYCLOPÉDIE*

La pensée philosophique du XVIIIe siècle s'exprime en particulier par des œuvres qui proposent une synthèse de l'observation, de l'esprit critique et de la science, notamment la physique de Newton. Devant les progrès qui s'accélèrent et se multiplient dans toutes les sphères de l'activité humaine, il semble que de nombreux auteurs aient ressenti un besoin impératif de dresser des inventaires dans différents domaines de la connaissance : Bayle, avec son *Dictionnaire historique et critique* (1697) ; Voltaire, avec son *Dictionnaire philosophique* (1764) ; Buffon, avec son *Histoire naturelle* (1749-1788), etc. Tous ces ouvrages érudits – en particulier celui de Bayle – ouvrent la voie à l'*Encyclopédie,* l'emblème du siècle des Lumières.

À l'origine, l'*Encyclopédie* n'est qu'une simple commande de libraire ; cependant, sous la direction de Denis Diderot et de Jean Le Rond d'Alembert, ses maîtres d'œuvre, le projet prend une envergure insoupçonnée et devient le reflet de cette époque audacieuse. Les encyclopédistes ont en effet l'ambition de « rassembler les connaissances éparses à la surface de la Terre » et de rendre les humains « plus instruits, […] plus vertueux et plus heureux ».

---

1. Certains religieux vont opposer à la philosophie des Lumières ce que l'on peut appeler une anti-philosophie. Cette dernière s'oppose à la prolifération du mensonge et des mauvaises idées qui vont à l'encontre des dogmes, qu'ils soient religieux, politiques ou esthétiques. Parmi les principaux ouvrages de ces anti-philosophes se trouvent le *Dictionnaire antiphilosophique* (1767), *Erreurs de Voltaire* (1762) ou encore le *Dictionnaire philosophique de la religion* (1772).

Outil d'enseignement et de réflexion, l'*Encyclopédie* rassemble une somme monumentale de connaissances théoriques et techniques dans tous les domaines; outil de propagande, elle vante aussi les vertus du travail, du progrès et de la liberté, qui sont les fondements de l'idéologie bourgeoise. Pour la première fois, métiers, artisanat, art et sciences cohabitent et sont traités sur un pied d'égalité. L'édition complète de l'*Encyclopédie* comporte 17 volumes, ainsi que 11 tomes de planches illustrées, ce qui en fait un ouvrage digne des géants de Rabelais. Ce monument dédié au génie humain aura nécessité la participation de centaines de collaborateurs (philosophes, écrivains, scientifiques, etc.), plus de 25 années de travail et une volonté de fer de la part de ses nombreux artisans, qui ont eu à surmonter de maintes difficultés pour mener le projet à terme.

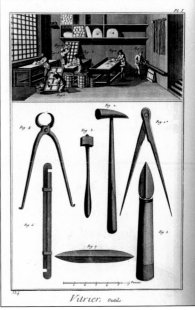

«Vitrier, Outils, Pl. 1». Illustration de D. Diderot et J. d'Alembert. *Encyclopédie, ou Dictionnaire raisonné des sciences, des arts et des métiers*, 1751-1772.

La diversité des opinions que font valoir les différents collaborateurs (certains sont athées, d'autres croyants, monarchistes ou démocrates) fait de l'*Encyclopédie* un lieu de rencontre où se côtoient les positions contradictoires. D'ailleurs, Voltaire n'hésite pas à qualifier l'*Encyclopédie* de « magasin de fantaisies ». De cette approche qui favorise la multiplicité des points de vue et qui donc incite le lecteur à exercer sa pensée critique, il ressort une interaction bénéfique.

LES ÉCHANGES

Le XVIIIᵉ siècle voit la bourgeoisie consolider ses positions commerciales. De son côté, l'aristocratie – qui s'est enrichie par des investissements effectués notamment dans les entreprises de colonisation – dilapide son argent dans la consommation d'objets de luxe, créant une demande de ce type de produit qui profite aux commerçants. Le pouvoir des bourgeois s'accroît rapidement, ce qui leur permet de convoiter des fonctions importantes, leur porte d'entrée vers un éventuel anoblissement. Une nouvelle figure fait son apparition au sein de cette bourgeoisie marchande et, parallèlement, dans la littérature: le négociant. Lors des expéditions maritimes mises sur pied par les négociants, il n'est pas rare de voir s'embarquer des savants et des écrivains, impatients de visiter des pays étrangers et de rendre compte de leurs découvertes. Les nombreux récits de voyages qu'ils en rapportent exercent une influence sur la société française et font naître un engouement pour l'exotisme, les cultures indigènes de même que pour la pensée et les systèmes politiques étrangers.

De nouveaux regards

L'ouverture sur le monde qu'entraînent le développement du commerce et les voyages d'exploration donne l'idée à certains écrivains de jeter un éclairage nouveau sur la société dans laquelle ils vivent; pour ce faire, ils adoptent un point de vue étranger. Ainsi, dans *Lettres persanes* (1721), Charles de Montesquieu (1689-1755) reprend à son compte la mode «exotique» et observe la société et les institutions françaises avec les yeux d'un étranger pour exprimer ses propres critiques. Le seigneur persan Usbek et son ami Rica, partis découvrir le monde, sont en visite à Paris. Ils communiquent par lettres à leur entourage leurs impressions au sujet de cette société étrangère qui ne cesse de les étonner. Dans l'extrait qui suit, Montesquieu critique l'absolutisme royal par l'intermédiaire du personnage de Rica.

ŒUVRE

Charles de Montesquieu (1689-1755)

Lettres persanes – Lettre XXIV

Rica à Ibben, à Smyrne

Tu ne le croirais pas peut-être: depuis un mois que je suis ici, je n'y ai encore vu marcher personne. Il n'y a point de gens au monde qui tirent mieux parti de leur machine que les Français: ils courent; ils volent. Les voitures lentes d'Asie, le

5 pas réglé de nos chameaux, les feraient tomber en syncope. Pour moi, qui ne suis point fait à ce train, et qui vais souvent à pied sans changer d'allure, j'enrage quelquefois comme un chrétien: car encore passe qu'on m'éclabousse depuis les pieds jusqu'à la tête; mais je ne puis pardonner les coups de coude que je reçois régulièrement et périodiquement. Un homme qui vient après

10 moi, et qui me passe, me fait faire un demi-tour, et un autre, qui me croise de l'autre côté, me remet soudain où le premier m'avait pris; et je n'ai pas fait cent pas, que je suis plus brisé que si j'avais fait dix lieues.

Ne crois pas que je puisse, quant à présent, te parler à fond des mœurs et des coutumes européennes: je n'en ai moi-même qu'une légère idée, et je

15 n'ai eu à peine que le temps de m'étonner.

Le roi de France est le plus puissant prince de l'Europe. Il n'a point de mines d'or comme le roi d'Espagne son voisin; mais il a plus de richesses que lui, parce qu'il les tire de la vanité de ses sujets, plus inépuisable que les mines. On lui a vu entreprendre ou soutenir de grandes guerres, n'ayant d'autres fonds

20 que des titres d'honneur à vendre, et, par un prodige de l'orgueil humain, ses troupes se trouvaient payées, ses places munies, et ses flottes équipées.

D'ailleurs ce roi est un grand magicien: il exerce son empire sur l'esprit même de ses sujets; il les fait penser comme il veut. S'il n'a qu'un million d'écus dans son trésor, et qu'il en ait besoin de deux, il n'a qu'à leur persuader qu'un

25 écu en vaut deux, et ils le croient. S'il a une guerre difficile à soutenir, et qu'il n'ait point d'argent, il n'a qu'à leur mettre dans la tête qu'un morceau de

papier est de l'argent, et ils en sont aussitôt convaincus. Il va même jusqu'à leur faire croire qu'il les guérit de toutes sortes de maux en les touchant, tant est grande la force et la puissance qu'il a sur les esprits.

30 Ce que je te dis de ce prince ne doit pas t'étonner : il y a un autre magicien plus fort que lui, qui n'est pas moins maître de son esprit qu'il l'est lui-même de celui des autres. Ce magicien s'appelle *le Pape*. Tantôt il lui fait croire que trois ne sont qu'un, que le pain qu'on mange n'est pas du pain, ou que le vin qu'on boit n'est pas du vin, et mille autres choses de cette espèce.

[...]

35 Je continuerai à t'écrire, et je t'apprendrai des choses bien éloignées du caractère et du génie persan. C'est bien la même terre qui nous porte tous deux ; mais les hommes du pays où je vis, et ceux du pays où tu es, sont des hommes bien différents.

De Paris, le 4 de la lune de Rediab 2, 1712.

Le retour à la nature

La multiplication des récits de voyages de même que les effets de la colonisation font naître chez d'autres philosophes des Lumières l'idée d'une morale naturelle fondée sur la raison plutôt que sur une quelconque « révélation divine ». C'est le cas de Jean-Jacques Rousseau (1712-1778), dont les idées vont à l'encontre des opinions politiques et morales de son époque. Selon lui, s'ils ne sont pas libres de leurs passions, les hommes sont toutefois libres de leurs actes. Rousseau est fortement influencé par les récits qui relatent la vie des indigènes dans les colonies françaises et tout ce qui se rapporte à ce qu'il est convenu d'appeler le « mythe du bon sauvage ». Il en vient à la conclusion que l'homme est fondamentalement bon ; c'est la société qui le corrompt.

ŒUVRE

Jean-Jacques Rousseau (1712-1778)

Discours sur l'origine et les fondements de l'inégalité parmi les hommes – Deuxième partie

Le premier qui, ayant enclos un terrain, s'avisa de dire : *Ceci est à moi*, et trouva des gens assez simples pour le croire, fut le vrai fondateur de la société civile. Que de crimes, de guerres, de meurtres, que de misères et

5 d'horreurs n'eût point épargnés au genre humain celui qui, arrachant les pieux ou comblant le fossé, eût crié à ses semblables : Gardez-vous d'écouter cet imposteur ; vous êtes perdus, si vous oubliez que les fruits sont à tous, et que la terre n'est à personne. Mais il y a grande apparence, qu'alors les choses

en étaient déjà venues au point de ne pouvoir plus durer comme elles étaient ;
10 car cette idée de propriété, dépendant de beaucoup d'idées antérieures qui
n'ont pu naître que successivement, ne se forma pas tout d'un coup dans
l'esprit humain. Il fallut faire bien des progrès, acquérir bien de l'industrie et
des lumières, les transmettre et les augmenter d'âge en âge, avant que d'arriver à ce dernier terme de l'état de nature. Reprenons donc les choses de plus
15 haut et tâchons de rassembler sous un seul point de vue cette lente succession
d'événements et de connaissances, dans leur ordre le plus naturel.

Le premier sentiment de l'homme fut celui de son existence, son premier soin
celui de sa conservation. Les productions de la terre lui fournissaient tous les
secours nécessaires, l'instinct le porta à en faire usage. La faim, d'autres appé-
20 tits lui faisant éprouver tour à tour diverses manières d'exister, il y en eut une
qui l'invita à perpétuer son espèce ; et ce penchant aveugle, dépourvu de tout
sentiment du cœur, ne produisait qu'un acte purement animal. Le besoin satis-
fait, les deux sexes ne se reconnaissaient plus, et l'enfant même n'était plus
rien à la mère sitôt qu'il pouvait se passer d'elle.

25 Telle fut la condition de l'homme naissant ; telle fut la vie d'un animal borné
d'abord aux pures sensations, et profitant à peine des dons que lui offrait la
nature, loin de songer à lui rien arracher ; mais il se présenta bientôt des difficultés, il fallut apprendre à les vaincre : la hauteur des arbres qui l'empêchaient
d'atteindre à leurs fruits, la concurrence des animaux qui cherchaient à s'en
30 nourrir, la férocité de ceux qui en voulaient à sa propre vie, tout l'obligea de
s'appliquer aux exercices du corps ; il fallut se rendre agile, vite à la course,
vigoureux au combat. Les armes naturelles, qui sont les branches d'arbre et les
pierres se trouvèrent bientôt sous sa main. Il apprit à surmonter les obstacles
de la nature, à combattre au besoin les autres animaux, à disputer sa subsis-
35 tance aux hommes mêmes, ou à se dédommager de ce qu'il fallait céder au
plus fort.

La république des lettres

Aux échanges «polis» qui avaient cours dans les salons du XVIIe siècle succèdent
les polémiques et les confrontations philosophiques. Les clubs, les cafés et les salons
sont au cœur de l'espace public que fréquentent les grands esprits du temps – et
qui forme la république des lettres. Ces échanges dynamiques sont rapportés par
des moyens multiples et diversifiés (récits de voyages, pamphlets, journaux, etc.)
qui assurent la propagation des idées nouvelles.

L'écrivain du XVIIIe siècle voit son statut changer ; il n'est plus vu comme un
artisan, quelqu'un qui imite la nature, mais comme un véritable créateur. L'activité littéraire se professionnalise et, pour la première fois, la majorité des écrivains
ne sont pas issus de la noblesse ou du clergé. Ce nouveau rapport de force entraîne
des effets notables sur la production littéraire : les livres religieux, qui constituaient
la moitié des publications à la fin du XVIIe siècle, n'en représentent désormais que le

L. Arnoto (s.d.). *Cabinet de lecture* (1840).
Deutsches Historisches Museum, Berlin, Allemagne.

dixième. Par ailleurs, certaines œuvres[1] connaissent un succès auprès du peuple, conséquence directe de la hausse du taux d'alphabétisation. De 1750 à 1770, le roman épistolaire est très populaire, en raison surtout de l'impression de réel qui s'en dégage. Vers la même époque apparaissent les « cabinets de lecture », où la population peut louer des livres à la semaine. Grâce à cette innovation, les personnes de condition modeste peuvent avoir accès à la littérature[2]. À partir de 1750, la presse se développe de façon constante, bien qu'elle soit encore considérée comme un sous-genre. Au moment de la Révolution, elle se révélera toutefois un outil d'information efficace, puisque c'est par son intermédiaire que la population sera tenue au courant de l'évolution des débats politiques, artistiques et philosophiques qui se déroulent dans la république des lettres. Le contrôle de l'information échappe aux mains du pouvoir et toute tentative visant à bâillonner l'opposition est vouée à l'échec, car l'écrivain n'a plus besoin de protecteur ou de mécène : il a essentiellement besoin du public, à qui les œuvres littéraires sont désormais destinées. Par ailleurs, la propriété littéraire est enfin reconnue, grâce à Beaumarchais, qui fonde en 1777 la Société des auteurs dramatiques.

L'ÉCRITURE AU XVIIIᵉ SIÈCLE

Vers la fin du XVIIᵉ siècle, Louis XIV tente de réunir toutes les imprimeries à Paris afin de pouvoir les surveiller plus facilement et d'empêcher ainsi la publication d'œuvres qui pourraient éventuellement porter atteinte aux mœurs, à la religion et à l'autorité royale. Le roi fixe à 36 le nombre d'imprimeries. Les auteurs se tournent alors vers d'autres pays pour faire publier leurs ouvrages. Au début du siècle des Lumières, près de 45 % des livres sont publiés à l'étranger (surtout en Hollande). La plupart des ouvrages marquants de cette époque, tels *Lettres persanes* et *De l'esprit des lois* de Montesquieu, sont donc publiés en dehors de la France, puis importés. De plus, il n'est pas rare qu'un livre publié par un éditeur soit copié

---

1. Le tirage d'une première édition représente habituellement de 1 000 à 2 000 exemplaires. Précisons que *Candide* (Voltaire) aura 43 éditions ; *Lettres philosophiques* (Voltaire), 35 ; *La nouvelle Héloïse* (Rousseau), 70 ; et que 24 000 exemplaires seront tirés des 36 volumes de l'*Encyclopédie*.
2. C'est aussi à cette époque qu'apparaît le format de poche.

et distribué par un autre éditeur. Par ailleurs, dans le but d'échapper à la censure, certains éditeurs recourent à différentes astuces pour faire croire que le livre qu'ils publient a été imprimé à l'étranger alors qu'il l'a été en France.

La plupart des gens qui achètent des livres prohibés appartiennent au haut clergé, à la noblesse ou à la bourgeoisie aisée, ces ouvrages étant par ailleurs trop coûteux pour le reste de la population. Ironiquement, ces contrevenants privilégiés ne sont jamais soupçonnés par la police. Il s'agit là de l'une des contradictions du XVIIIᵉ siècle : ceux qui se procurent les livres prohibés sont précisément ceux qui les interdisent.

Les genres les plus populaires sont le roman, le conte philosophique et la prose d'idées. Du côté du théâtre, sous l'influence de l'esprit des Lumières, on assiste à un retour de l'expression des passions et au développement d'intrigues à caractère psychologique, en particulier dans la comédie. Quant à la poésie, elle vit une période de crise et, malgré une production abondante, les poèmes dignes d'intérêt se font rares ; l'histoire retient cependant les œuvres d'un jeune poète prometteur du nom d'André Chénier.

LE ROMAN

Considéré comme un genre mineur pendant la période classique, critiqué pour ses excès et ses extravagances, le roman connaît un nouvel essor qui coïncide avec celui de la bourgeoisie, dont il est le reflet. Au siècle des Lumières, le roman se présente sous une variété de formes et gagne la faveur d'un lectorat de plus en plus vaste.

En quête de réalisme, la plupart des auteurs du temps ont en commun le souci de situer leurs personnages dans des contextes et des situations vraisemblables et d'exprimer des faits modernes. C'est la raison pour laquelle l'appellation « roman », qui évoque l'invraisemblance et la fiction, disparaît presque complètement, remplacée par une multitude de « synonymes » : mémoires, lettres, histoires, nouvelles, voyages, confessions, aventures, vies, etc. Derrière l'impression de véracité qui se dégage de ces appellations diverses, la fiction est toujours présente, bien qu'elle soit devenue nettement plus réaliste.

Le roman se renouvelle aussi dans sa thématique alors que les écrivains du siècle des Lumières explorent les relations sociales et s'intéressent à l'âme humaine comme jamais auparavant. On assiste à un retour des passions (bannies de l'esthétique romanesque du siècle précédent), qui demeurent un moyen privilégié de découvrir la nature humaine.

L'illusion romanesque créée par le passage du « il », point de vue omniscient, au « je » constitue l'une des innovations de ce récit d'un genre nouveau qui se présente comme une expérience vécue. De la même manière, l'expression des sentiments et des passions permet au lecteur d'accéder à l'intériorité du personnage. Les *Confessions*, de Jean-Jacques Rousseau (1712-1778), illustrent de façon convaincante cette transformation. Aucun auteur avant lui ne s'était encore risqué à faire le récit de sa vie pour tenter d'expliquer ses actions ou de les justifier.

Jean-Jacques Rousseau (1712-1778)

ŒUVRE

Confessions

Je forme une entreprise qui n'eut jamais d'exemple et dont l'exécution n'aura point d'imitateur. Je veux montrer à mes semblables un homme dans toute la vérité de la nature; et cet homme ce sera moi.

5 Moi seul. Je sens mon cœur et je connais les hommes. Je ne suis fait comme aucun de ceux que j'ai vus; j'ose croire n'être fait comme aucun de ceux qui existent. Si je ne vaux pas mieux, au moins je suis autre. Si la nature a bien ou mal fait de briser le moule dans lequel elle m'a jeté, c'est ce dont on ne peut juger qu'après m'avoir lu.

10 Que la trompette du jugement dernier sonne quand elle voudra, je viendrai, ce livre à la main, me présenter devant le souverain juge. Je dirai hautement: «Voilà ce que j'ai fait, ce que j'ai pensé, ce que je fus. J'ai dit le bien et le mal avec la même franchise. Je n'ai rien tu de mauvais, rien ajouté de bon, et s'il m'est arrivé d'employer quelque ornement indifférent, ce n'a jamais été que 15 pour remplir un vide occasionné par mon défaut de mémoire; j'ai pu supposer vrai ce que je savais avoir pu l'être, jamais ce que je savais être faux. Je me suis montré tel que je fus: méprisable et vil quand je l'ai été, bon, généreux, sublime, quand je l'ai été: j'ai dévoilé mon intérieur tel que tu l'as vu toi-même, Être éternel. Rassemble autour de moi l'innombrable foule de mes 20 semblables; qu'ils écoutent mes confessions, qu'ils gémissent de mes indignités, qu'ils rougissent de mes misères. Que chacun d'eux découvre à son tour son cœur aux pieds de ton trône avec la même sincérité, et puis qu'un seul te dise, s'il l'ose: *Je fus meilleur que cet homme-là.*»

Denis Diderot (1713-1784) est sans doute – avec Voltaire – l'un des esprits les plus brillants et les plus prolifiques des Lumières (il a été encyclopédiste, romancier, dramaturge, essayiste, etc.). Comme son ami Rousseau, il est aussi connu pour avoir énoncé des concepts philosophiques novateurs. Ainsi, il utilise l'exemple d'un aveugle-né pour démontrer que la morale n'est pas universelle, mais qu'elle dépend plutôt de la sensibilité de chacun. Après la publication de sa *Lettre sur les aveugles à l'usage de ceux qui voient*, Diderot effectue un séjour forcé à la prison de Vincennes, car son ouvrage contredit la position de l'Église en privilégiant le matérialisme, selon lequel l'homme n'est pas un jouet entre les mains d'un dieu, mais un être autonome, responsable de sa propre vie. Cet emprisonnement lui enseigne la prudence, car il a failli mettre en péril l'entreprise de l'*Encyclopédie*, notamment. À partir de ce moment, Diderot évite d'afficher ouvertement ou même de publier ses prises de position, qu'elles soient théologiques ou politiques. Parmi les œuvres de Diderot non publiées de son vivant se trouve *Jacques le fataliste et son maître*, qui se présente comme un long dialogue entrecoupé d'anecdotes, où se côtoient le réel et l'imaginaire. La question de la liberté et de l'égalité entre les êtres humains est au cœur des discussions entre Jacques, le valet, et son maître.

Denis Diderot (1713-1784)

Jacques le fataliste et son maître

Jacques demanda à son maître s'il n'avait pas remarqué que, quelle que fût la misère des petites gens,
n'ayant pas de pain pour eux, ils avaient tous des
chiens; s'il n'avait pas remarqué que ces chiens, étant
5 tous instruits à faire des tours, à marcher à deux
pattes, à danser, à rapporter, à sauter pour le roi, pour la reine, à faire le mort,
cette éducation les avait rendus les plus malheureuses bêtes du monde. D'où
il conclut que tout homme voulait commander à un autre; et que l'animal se
trouvant dans la société immédiatement au-dessous de la classe des derniers
10 citoyens commandés par toutes les autres classes, ils prenaient un animal
pour commander aussi à quelqu'un. «Eh bien! dit Jacques, chacun a son chien.
Le ministre est le chien du roi, le premier commis est le chien du ministre, la
femme est le chien du mari, ou le mari le chien de la femme; Favori est le
chien de celle-ci, et Thibaud est le chien de l'homme du coin. Lorsque mon
15 maître me fait parler quand je voudrais me taire, ce qui, à la vérité, m'arrive
rarement, continua Jacques; lorsqu'il me fait taire quand je voudrais parler, ce
qui est très difficile; lorsqu'il me demande l'histoire de mes amours, et que
j'aimerais mieux causer d'autre chose; lorsque j'ai commencé l'histoire de
mes amours, et qu'il l'interrompt: que suis-je autre chose que son chien? Les
20 hommes faibles sont les chiens des hommes fermes.

Le maître. — Mais, Jacques, cet attachement pour les animaux, je ne le
remarque pas seulement dans les petites gens, je connais de grandes dames
entourées d'une meute de chiens, sans compter les chats, les perroquets, les
oiseaux.

25 Jacques. — C'est leur satire et celle de ce qui les entoure. Elles n'aiment personne; personne ne les aime: et elles jettent aux chiens un sentiment dont
elles ne savent que faire.

Le marquis des Arcis. — Aimer les animaux ou jeter son cœur aux chiens,
cela est singulièrement vu.

30 Le maître. — Ce qu'on donne à ces animaux-là suffirait à la nourriture de deux
ou trois malheureux.

Jacques. — À présent en êtes-vous surpris?

Le maître. — Non.»

Le marquis des Arcis tourna les yeux sur Jacques, sourit de ses idées; puis,
35 s'adressant à son maître, il lui dit: «Vous avez là un serviteur qui n'est pas
ordinaire.

> LE MAÎTRE. — Un serviteur, vous avez bien de la bonté : c'est moi qui suis le sien ; et peu s'en est fallu que ce matin, pas plus tard, il ne me l'ait prouvé en forme. »
>
> 40 Tout en causant on arriva à la couchée, et l'on fit chambrée commune. Le maître de Jacques et le marquis des Arcis soupèrent ensemble. Jacques et le jeune homme furent servis à part. Le maître ébaucha en quatre mots au marquis l'histoire de Jacques et de son tour de tête fataliste. Le marquis parla du jeune homme qui le suivait. Il avait été prémontré. Il était sorti de sa maison
> 45 par une aventure bizarre ; des amis le lui avaient recommandé ; et il en avait fait son secrétaire en attendant mieux.

LE CONTE PHILOSOPHIQUE

François Marie Arouet, dit Voltaire (1694-1778), écrit pendant plus de soixante années des œuvres de toutes sortes. Il domine le monde littéraire par sa prose provocante et pleine de verve qu'il met tout entière au service de son engagement philosophique. L'esprit bouillant de ce polémiste[1] s'en prend à tout – l'injustice, la superstition, l'intolérance – car, dit-il, il faut « écraser l'infâme ». Ironiquement, Voltaire souhaitait être connu pour ses tragédies inspirées de la période classique, mais ce sont plutôt ses lettres, son dictionnaire, ses pamphlets et surtout ses contes que la postérité retiendra.

Pour mener sa lutte, Voltaire ajoute une nouvelle arme à sa panoplie de combat en inventant le conte philosophique, qui illustre toute l'audace de l'esprit des Lumières. Issu du conte merveilleux dont il exploite les caractéristiques (exotisme, histoire brève, personnages typés, nombreux rebondissements, etc.), le conte voltairien s'inspire aussi de la vogue des récits de voyages et de celle du récit libertin. La nouveauté de ses contes réside à la fois dans leur contenu, qui reflète l'idéal des philosophes des Lumières (condamnation des valeurs rétrogrades, défense de la liberté et de la dignité humaine, etc.), et dans le ton, Voltaire manipulant adroitement la satire, l'ironie et la parodie pour faire valoir son point de vue. Tantôt drôle, tantôt sérieux, Voltaire s'adresse au lecteur avec jovialité et parle avec réalisme des choses de ce monde. Les contes voltairiens peuvent être perçus à juste titre comme des romans d'apprentissage.

---

1. L'emploi du terme « polémiste », c'est-à-dire qui aime les débats vifs et agressifs, n'est pas exagéré lorsqu'on parle de Voltaire. Son caractère intempestif lui attire d'ailleurs de nombreux problèmes. Ainsi, il passe quelques mois à la Bastille après qu'il eut dit au chevalier de Rohan – qui l'avait fait battre par ses domestiques : « Mon nom, je le commence, et vous finissez le vôtre ! » Exilé en Angleterre pendant près de trois ans, il prend goût à l'écriture philosophique et s'imprègne de la pensée anglaise, dont il se fera par la suite le défenseur.

Voltaire (1694-1778)

Candide ou L'optimisme – Chapitre dix-neuvième

*Ce qui leur arriva à Surinam, et comment
Candide fit connaissance avec Martin*

La première journée de nos deux voyageurs fut assez agréable. Ils étaient encouragés par l'idée de se voir possesseurs de plus de trésors que l'Asie, l'Europe et l'Afrique n'en pouvaient rassembler. Candide, transporté, écrivit le nom de Cunégonde sur les arbres. À la seconde journée, deux de leurs mou-
5 tons s'enfoncèrent dans des marais, et y furent abîmés avec leurs charges; deux autres moutons moururent de fatigue quelques jours après; sept ou huit périrent ensuite de faim dans un désert; d'autres tombèrent au bout de quelques jours dans des
10 précipices. Enfin, après cent jours de marche, il ne leur resta que deux moutons. Candide dit à Cacambo: « Mon ami, vous voyez comme les richesses de ce monde sont péris-
15 sables; il n'y a rien de solide que la vertu et le bonheur de revoir mademoiselle Cunégonde. — Je l'avoue, dit Cacambo; mais il nous reste encore deux moutons avec
20 plus de trésors que n'en aura jamais le roi d'Espagne; et je vois de loin une ville que je soupçonne être Surinam, appartenant aux Hollandais. Nous sommes au bout
25 de nos peines et au commence- ment de notre félicité. »

Jean-Michel Moreau, illustrateur
(1741-1814), Pierre-Charles Baquoy,
graveur (1759-1829). *C'est à ce prix
que vous mangez du sucre en Europe*
(*Candide*, chap. 19) (1787).
Bibliothèque nationale de France
(Réserve des livres rares,
RES-Z-4493), Paris, France.

En approchant de la ville, ils rencontrèrent un nègre étendu par terre, n'ayant
plus que la moitié de son habit, c'est-à-dire d'un caleçon de toile bleue; il
manquait à ce pauvre homme la jambe gauche et la main droite. «Eh! mon
30 Dieu! lui dit Candide en hollandais, que fais-tu là, mon ami, dans l'état horrible où je te vois? — J'attends mon maître, monsieur Vanderdendur, le fameux
négociant, répondit le nègre. — Est-ce monsieur Vanderdendur, dit Candide,
qui t'a traité ainsi? — Oui, monsieur, dit le nègre, c'est l'usage. On nous donne
un caleçon de toile pour tout vêtement deux fois l'année. Quand nous tra-
35 vaillons aux sucreries, et que la meule nous attrape le doigt, on nous coupe
la main; quand nous voulons nous enfuir, on nous coupe la jambe: je me
suis trouvé dans les deux cas. C'est à ce prix que vous mangez du sucre en
Europe. Cependant, lorsque ma mère me vendit dix écus patagons[1] sur la
côte de Guinée, elle me disait: "Mon cher enfant, bénis nos fétiches, adore-
40 les toujours, ils te feront vivre heureux; tu as l'honneur d'être esclave de nos
seigneurs les blancs, et tu fais par là la fortune de ton père et de ta mère."
Hélas! Je ne sais pas si j'ai fait leur fortune, mais ils n'ont pas fait la mienne.
Les chiens, les singes et les perroquets sont mille fois moins malheureux que
nous; les fétiches hollandais qui m'ont converti me disent tous les dimanches
45 que nous sommes tous enfants d'Adam, blancs et noirs. Je ne suis pas généa-
logiste; mais si ces prêcheurs disent vrai, nous sommes tous cousins issus
de germains. Or vous m'avouerez qu'on ne peut pas en user avec ses parents
d'une manière plus horrible.

— Ô Pangloss! s'écria Candide, tu n'avais pas deviné cette abomination; c'en
50 est fait, il faudra qu'à la fin je renonce à ton optimisme. — Qu'est-ce qu'optimisme? disait Cacambo. — Hélas! dit Candide, c'est la rage de soutenir que
tout est bien quand on est mal»; et il versait des larmes en regardant son
nègre; et en pleurant, il entra dans Surinam.

LA PROSE D'IDÉES

Les philosophes des Lumières sont de tous les combats et de tous les débats. La
rapidité avec laquelle ils sont capables d'attaquer ou de répliquer – à coups de lettres,
de pamphlets ou d'articles – constitue une arme redoutable. Ils savent comment
utiliser à leur avantage toutes les formes de diffusion d'idées à leur disposition afin
de rallier l'opinion publique à leur cause. Ainsi, s'ils arrivent à persuader par la
raison, ils n'hésitent pas non plus à recourir abondamment à l'ironie pour contrer
leurs adversaires, comme en témoigne cette lettre au ton cinglant et ironique, écrite
par Voltaire (1694-1778) en réponse à Rousseau: faut-il opter pour l'homme et
le progrès ou condamner la société au profit de la nature? Le célèbre affrontement
entre les deux hommes était lancé!

---

1. Monnaie d'argent de Flandre et d'Espagne.

ŒUVRE

Voltaire (1694-1778)

Lettre à Rousseau

J'ai reçu, Monsieur, votre nouveau livre contre le genre
humain, je vous en remercie. Vous plairez aux hommes,
à qui vous dites leurs vérités; mais vous ne les corri-
gerez pas. On ne peut peindre avec des couleurs plus
5 fortes les horreurs de la société humaine dont notre ignorance et notre faiblesse se promettent tant de consolations. On n'a jamais employé tant d'esprit
à vouloir nous rendre bêtes. Il prend envie de marcher à quatre pattes quand
on lit votre ouvrage.

Cependant, comme il y a plus de soixante ans que j'en ai perdu l'habitude,
10 je sens malheureusement qu'il m'est impossible de la reprendre, et je laisse
cette allure naturelle à ceux qui en sont plus dignes que vous et moi. Je ne peux
non plus m'embarquer pour aller trouver les sauvages du Canada: premièrement, parce que les maladies dont je suis accablé me retiennent auprès du
plus grand médecin de l'Europe et que je ne trouverais pas les mêmes secours
15 chez les Missouris, secondement, parce que la guerre est portée dans ces pays-
là, et que les exemples de nos nations ont rendu les sauvages presque aussi
méchants que nous.

30 août 1755

L'ÉCRITURE LIBERTINE

Au XVIIIe siècle, le mot «libertinage» perd son innocence et devient synonyme de
scandale et de mœurs dépravées. Les livres qualifiés de libertins représentent environ 40 % de la littérature censurée. La prose libertine, qui rassemble des pamphlets,
des traités, des romans de mœurs, etc., conteste l'ordre établi et les valeurs traditionnelles, en particulier tout ce qui a trait à la morale. Les libraires du temps ont
d'ailleurs pris l'habitude de camoufler ces ouvrages sous l'appellation de «livres
philosophiques» afin d'échapper à la censure.

Les liaisons dangereuses, le roman épistolaire de Pierre Choderlos de Laclos
(1741-1803), constitue certainement le chef-d'œuvre de l'écriture libertine. Laclos
dépeint avec réalisme une aristocratie blasée et décadente pour qui le libertinage
n'est qu'un «jeu de société» divertissant. La marquise de Merteuil et le vicomte
de Valmont, complices de ces jeux de séduction, cherchent à corrompre leur entourage en les entraînant dans des intrigues amoureuses illicites. Les deux «joueurs»
se distinguent par leur cynisme et le raffinement pervers qu'ils déploient pour écha-
fauder leurs plans diaboliques. L'extrait suivant montre la vraie nature de la marquise de Merteuil, alors qu'elle expose à Valmont les motifs de ses actions.

Pierre Choderlos de Laclos (1741-1803)

Les liaisons dangereuses

81. La Marquise de Merteuil au Vicomte de Valmont

Paris, 20 septembre 17**.

[...]

Sans doute vous ne nierez pas ces vérités que leur évidence a rendues triviales. Si pourtant vous m'avez vue, disposant des événements et des opinions, faire de ces hommes si redoutables les jouets de mes caprices ou de mes
5 fantaisies; ôter aux uns la volonté de me nuire, aux autres la puissance; si j'ai su tour à tour, et suivant mes goûts mobiles, attacher à ma suite ou rejeter loin de moi: *Ces tyrans détrônés devenus mes esclaves*; si, au milieu de ces révolutions fréquentes, ma réputation s'est pourtant conservée pure, n'avez-vous pas dû en conclure que, née pour venger mon sexe et maîtriser le vôtre,
10 j'avais su me créer des moyens inconnus jusqu'à moi?

[...]

Entrée dans le monde dans le temps où, fille encore, j'étais vouée par état au silence et à l'inaction, j'ai su en profiter pour observer et réfléchir. Tandis qu'on me croyait étourdie ou distraite, écoutant peu à la vérité les discours qu'on s'empressait de me tenir, je recueillais avec soin ceux qu'on cherchait à me
15 cacher.

Cette utile curiosité, en servant à m'instruire, m'apprit encore à dissimuler: forcée souvent de cacher les objets de mon attention aux yeux qui m'entouraient, j'essayai de guider les miens à mon gré; j'obtins dès lors de prendre à volonté ce regard distrait que depuis vous avez loué si souvent. Encouragée
20 par ce premier succès, je tâchai de régler de même les divers mouvements de ma figure. Ressentais-je quelque chagrin, je m'étudiais à prendre l'air de la sécurité, même celui de la joie; j'ai porté le zèle jusqu'à me causer des douleurs volontaires, pour chercher pendant ce temps l'expression du plaisir. Je me suis travaillée avec le même soin et plus de peine pour réprimer les symp-
25 tômes d'une joie inattendue. C'est ainsi que j'ai su prendre sur ma physionomie cette puissance dont je vous ai vu quelquefois si étonné.

[...]

Mais de prétendre que je me sois donné tant de soins pour n'en pas retirer de fruits; qu'après m'être autant élevée au-dessus des autres femmes par mes travaux pénibles, je consente à ramper comme elles dans ma marche, entre
30 l'imprudence et la timidité; que surtout je pusse redouter un homme au point de ne plus voir mon salut que dans la fuite? Non, Vicomte; jamais. Il faut vaincre ou périr. Quant à Prévan, je veux l'avoir et je l'aurai; il veut le dire, et il ne le dira pas: en deux mots, voilà notre roman. Adieu.

LE THÉÂTRE

Le théâtre, la comédie surtout, poursuit son évolution. Le public ne rit plus de la même façon qu'au temps de Molière ; les auteurs, délaissant l'alexandrin au profit de la prose, s'intéressent davantage à la psychologie et aux comportements humains qu'à la représentation des différents types sociaux. Les comédies du XVIIIᵉ siècle innovent aussi en faisant une large place aux sentiments.

Ainsi, les comédies psychologiques et sentimentales de Pierre Carlet de Chamblain de Marivaux (1688-1763) sont reconnaissables entre autres aux mécanismes que l'auteur met en œuvre afin de travestir, pour mieux le révéler, le sentiment amoureux naissant : confidences, jeux, stratagèmes, épreuves, etc.[1]. Les pièces de Marivaux se distinguent aussi par la langue qui, bien que naturelle, reflète l'esprit de la bonne société de l'époque. Contrairement à la préciosité du Grand Siècle, le raffinement de style et de langage qu'on trouve chez Marivaux n'est pas gratuit, l'auteur cherchant plutôt à traduire de cette manière toutes les nuances des émotions. Cette préciosité d'un nouveau genre a d'ailleurs reçu le nom de « marivaudage ».

Dans *Le jeu de l'amour et du hasard*, Silvia, une jeune Parisienne de bonne famille, a été promise à Durante. Désireuse de faire la connaissance de celui-ci, Silvia décide de changer de rôle avec sa servante, Lisette, afin de pouvoir observer à son aise celui qu'on lui destine avant de l'accepter. Mais elle ignore que Durante a eu l'idée de faire la même chose avec Arlequin, son valet. Ce sont donc deux maîtres déguisés en serviteurs qui se rencontrent.

Jean-Antoine Watteau (1684-1721). *Gilles* (1718-1719). Musée du Louvre, Paris, France.

---

1. Marivaux exprime lui-même son intention en ces termes : « J'ai guetté dans le cœur humain toutes les niches différentes où peut se cacher l'amour lorsqu'il craint de se montrer, et chacune de mes comédies a pour objet de le faire sortir d'une de ses niches. » (Cité par d'Alembert dans *Éloge de Marivaux*.)

ŒUVRE

Pierre de Marivaux (1688-1763)

Le jeu de l'amour et du hasard

Acte II, scène 7: SILVIA, LISETTE

SILVIA. — Je vous trouve admirable de ne pas le renvoyer tout d'un coup, et de me faire essuyer les brutalités de cet animal-là.

LISETTE. — Pardi, Madame, je ne puis pas jouer deux rôles à la fois; il faut que
5 je paraisse, ou la maîtresse, ou la suivante, que j'obéisse ou que j'ordonne.

SILVIA. — Fort bien; mais puisqu'il n'y est plus, écoutez-moi comme votre maîtresse: vous voyez bien que cet homme-là ne me convient point.

LISETTE. — Vous n'avez pas eu le temps de l'examiner beaucoup.

SILVIA. — Êtes-vous folle avec votre examen? Est-il nécessaire de le voir deux
10 fois pour juger du peu de convenance? En un mot, je n'en veux point. Apparemment que mon père n'approuve pas la répugnance qu'il me voit, car il me fuit, et ne me dit mot; dans cette conjoncture, c'est à vous à me tirer tout doucement d'affaire, en témoignant adroitement à ce jeune homme que vous n'êtes pas dans le goût de l'épouser.

15 LISETTE. — Je ne saurais, Madame.

SILVIA. — Vous ne sauriez! Et qu'est-ce qui vous en empêche?

LISETTE. — Monsieur Orgon me l'a défendu.

SILVIA. — Il vous l'a défendu! Mais je ne reconnais point mon père à ce procédé-là.

20 LISETTE. — Positivement défendu.

SILVIA. — Eh bien, je vous charge de lui dire mes dégoûts, et de l'assurer qu'ils sont invincibles; je ne saurais me persuader qu'après cela il veuille pousser les choses plus loin.

LISETTE. — Mais, Madame, le futur, qu'a-t-il donc de si désagréable, de si rebutant?

25 SILVIA. — Il me déplaît, vous dis-je, et votre peu de zèle aussi.

LISETTE. — Donnez-vous le temps de voir ce qu'il est, voilà tout ce qu'on vous demande.

SILVIA. — Je le hais assez sans prendre du temps pour le haïr davantage.

LISETTE. — Son valet qui fait l'important ne vous aurait-il point gâté l'esprit
30 sur son compte?

SILVIA. — Hum, la sotte! son valet a bien affaire ici!

LISETTE. — C'est que je me méfie de lui, car il est raisonneur.

SILVIA. — Finissez vos portraits, on n'en a que faire; j'ai soin que ce valet me parle peu, et dans le peu qu'il m'a dit, il ne m'a jamais rien dit que de très sage.

35 LISETTE. — Je crois qu'il est homme à vous avoir conté des histoires maladroites, pour faire briller son bel esprit.

SILVIA. — Mon déguisement ne m'expose-t-il pas à m'entendre dire de jolies choses! À qui en avez-vous? D'où vous vient la manie d'imputer à ce garçon une répugnance à laquelle il n'a point de part? Car enfin, vous m'obligez à le
40 justifier; il n'est pas question de le brouiller avec son maître, ni d'en faire un fourbe, pour me faire, moi, une imbécile qui écoute ses histoires.

LISETTE. — Oh, Madame, dès que vous le défendez sur ce ton-là, et que cela va jusqu'à vous fâcher, je n'ai plus rien à dire.

SILVIA. — Dès que je le défends sur ce ton-là! Qu'est-ce que c'est que le ton
45 dont vous dites cela vous-même? Qu'entendez-vous par ce discours, que se passe-t-il dans votre esprit?

LISETTE. — Je dis, Madame, que je ne vous ai jamais vue comme vous êtes, et que je ne conçois rien à votre aigreur. Eh bien, si ce valet n'a rien dit, à la bonne heure, il ne faut pas vous emporter pour le justifier, je vous crois, voilà
50 qui est fini, je ne m'oppose pas à la bonne opinion que vous en avez, moi.

SILVIA. — Voyez-vous le mauvais esprit, comme elle tourne les choses! Je me sens dans une indignation... qui... va jusqu'aux larmes.

LISETTE. — En quoi donc, Madame? Quelle finesse entendez-vous à ce que je dis?

SILVIA. — Moi, j'y entends finesse! moi, je vous querelle pour lui! j'ai bonne
55 opinion de lui! Vous me manquez de respect jusque-là! Bonne opinion, juste ciel! bonne opinion! Que faut-il que je réponde à cela? Qu'est-ce que cela veut dire, à qui parlez-vous? Qui est-ce qui est à l'abri de ce qui m'arrive, où en sommes-nous?

LISETTE. — Je n'en sais rien, mais je ne reviendrai de longtemps de la surprise
60 où vous me jetez.

SILVIA. — Elle a des façons de parler qui me mettent hors de moi; retirez-vous, vous m'êtes insupportable, laissez-moi, je prendrai d'autres mesures.

Pierre Augustin Caron de Beaumarchais (1732-1799), l'autre figure dominante du théâtre de cette époque, apporte un souffle nouveau à la comédie en y intégrant la critique sociale et politique. Il innove aussi par ses personnages de roturiers laborieux dont le dynamisme s'oppose à la passivité qui caractérise la classe privilégiée des nobles.

La vie même de Beaumarchais – peut-être plus encore que ses œuvres – est à l'image de l'activité fébrile qui caractérise l'esprit des Lumières: aventurier, maître de harpe des filles du roi, entrepreneur, fondateur de la Société des auteurs dramatiques, il vient même en aide aux indépendantistes américains en guerre contre l'Angleterre, à qui il vend des armes. Beaumarchais est l'homme d'action du XVIIIᵉ siècle. Il fait entendre sa voix dans tous les débats et n'hésite pas à mettre son art au service de son engagement politique. Ainsi, dans *Le mariage de Figaro*, l'auteur dénonce les abus de pouvoir dont se rend coupable le comte Almaviva, qui entend séduire sa servante avant de la donner en mariage à son valet Figaro.

Beaumarchais (1732-1799)

Le mariage de Figaro

Acte V, scène 3: *FIGARO, seul, se promenant dans l'obscurité, dit du ton le plus sombre:*

Ô femme! femme! femme! créature faible et décevante!... nul animal créé ne peut manquer à son instinct: le tien est-il donc de tromper?... Après m'avoir obstinément refusé quand je l'en pressais devant sa maîtresse; à l'instant qu'elle me donne sa parole, au milieu même
5 de la cérémonie... Il riait en lisant, le perfide! et moi comme un benêt... Non, monsieur le Comte, vous ne l'aurez pas... vous ne l'aurez pas. Parce que vous êtes un grand seigneur, vous vous croyez un grand génie!... Noblesse, fortune, un rang, des places, tout cela rend si fier! Qu'avez-vous fait pour tant de biens? Vous vous êtes donné la peine de naître, et rien de plus. Du reste,
10 homme assez ordinaire; tandis que moi, morbleu! perdu dans la foule obscure, il m'a fallu déployer plus de science et de calculs pour subsister seulement, qu'on n'en a mis depuis cent ans à gouverner toutes les Espagnes: et vous voulez jouter... On vient... c'est elle... ce n'est personne. — La nuit est noire en diable, et me voilà faisant le sot métier de mari quoique je ne le sois
15 qu'à moitié! (*Il s'assied sur un banc.*) Est-il rien de plus bizarre que ma destinée? Fils de je ne sais pas qui, volé par des bandits, élevé dans leurs mœurs, je m'en dégoûte et veux courir une carrière honnête; et partout je suis repoussé! J'apprends la chimie, la pharmacie, la chirurgie, et tout le crédit d'un grand seigneur peut à peine me mettre à la main une lancette vétéri-
20 naire. [...] Forcé de parcourir la route où je suis entré sans le savoir, comme j'en sortirai sans le vouloir, je l'ai jonchée d'autant de fleurs que ma gaieté me l'a permis: encore je dis ma gaieté sans savoir si elle est à moi plus que le reste, ni même quel est ce moi dont je m'occupe: un assemblage informe de parties inconnues; puis un chétif être imbécile; un petit animal folâtre; un
25 jeune homme ardent au plaisir, ayant tous les goûts pour jouir, faisant tous les métiers pour vivre; maître ici, valet là, selon qu'il plaît à la fortune; ambitieux par vanité, laborieux par nécessité, mais paresseux... avec délices! orateur selon le danger; poète par délassement; musicien par occasion; amoureux par folles bouffées, j'ai tout vu, tout fait, tout usé. Puis l'illusion
30 s'est détruite et, trop désabusé... Désabusé...! Suzon, Suzon, Suzon! que tu me donnes de tourments!... J'entends marcher... on vient. Voici l'instant de la crise. (*Il se retire près de la première coulisse à sa droite.*)

ENCADRÉ

DOCUMENTAIRE

Les débuts du drame bourgeois

Au XVIIIᵉ siècle, certains dramaturges sont attirés par le mélange des genres comique et sérieux. Le drame dit « bourgeois » connaît beaucoup de succès. Denis Diderot, l'instigateur de ce genre nouveau, veut éloigner le théâtre des sujets classiques afin de montrer la condition de l'homme ordinaire du XVIIIᵉ siècle et les situations vécues par celui-ci. Diderot renverse les perspectives : au lieu de construire une intrigue autour d'un personnage central, il élabore les différents personnages qui vont lui permettre de composer des tableaux réalistes propres à toucher la sensibilité des spectateurs.

Le drame bourgeois laisse une large place à l'expression des émotions, voire au sentimentalisme, et s'accompagne souvent d'une intention moralisante. Il se distingue aussi par le fait que les personnages de bourgeois ne sont plus cantonnés aux rôles de faire-valoir ou de bouffon : ils sont désormais au centre de l'œuvre.

LA POÉSIE

Bien que la poésie soit encore bien présente au siècle des Lumières, la plupart des œuvres produites, pauvres ou frivoles, ne font que perpétuer le formalisme que défendaient les théoriciens du siècle précédent. La littérature française connaît au XVIIIᵉ siècle une véritable crise de la poésie. Toutefois, même si les vrais poètes se font rares à cette époque, il en est au moins un qui parvient à se démarquer. Comme beaucoup d'intellectuels, André Chénier (1762-1794) place ses espoirs dans la Révolution, mais recule lorsqu'il constate les massacres et les abus qu'elle provoque. Dans les articles qu'il écrit pour le *Journal de Paris*, Chénier dénonce ces pratiques, ce qui lui vaut d'être arrêté en 1794. De sa prison, il rédige entre autres des pamphlets dirigés contre les « bourreaux » de la Terreur, ainsi qu'une ode intitulée « La jeune captive », dans laquelle il décrit le désarroi qui frappe les victimes de la Révolution. André Chénier est guillotiné en 1794, deux jours seulement avant la fin des massacres. Sa mort tragique aura largement contribué à l'élaboration du mythe qui entoure le jeune poète disparu à la fleur de l'âge. Considéré par plusieurs comme le précurseur d'une nouvelle poésie, Chénier, par ses œuvres les plus personnelles, va fortement influencer les romantiques au siècle suivant.

André Chénier (1762-1794)

ŒUVRE

La jeune captive

« L'épi naissant mûrit de la faux respecté ;
Sans crainte du pressoir, le pampre[1] tout l'été
    Boit les doux présents de l'aurore ;
Et moi, comme lui belle, et jeune comme lui,
5 Quoi que l'heure présente ait de trouble et d'ennui,
    Je ne veux point mourir encore.

Qu'un stoïque aux yeux secs vole embrasser la mort:
Moi je pleure et j'espère. Au noir souffle du nord
      Je plie et relève ma tête.
10 S'il est des jours amers, il en est de si doux!
Hélas! quel miel jamais n'a laissé de dégoûts?
      Quelle mer n'a point de tempête?

L'illusion féconde habite dans mon sein.
D'une prison sur moi les murs pèsent en vain,
15   J'ai les ailes de l'espérance.
Échappée aux réseaux de l'oiseleur cruel,
Plus vive, plus heureuse, aux campagnes du ciel
      Philomèle chante et s'élance.

Est-ce à moi de mourir? Tranquille je m'endors
20 Et tranquille je veille; et ma veille aux remords
      Ni mon sommeil ne sont en proie.
Ma bienvenue au jour me rit dans tous les yeux;
Sur des fronts abattus, mon aspect dans ces lieux
      Ranime presque de la joie.

25 Mon beau voyage encore est si loin de sa fin!
Je pars, et des ormeaux qui bordent le chemin
      J'ai passé les premiers à peine,
Au banquet de la vie à peine commencé,
Un instant seulement mes lèvres ont pressé
30   La coupe en mes mains encor pleine.

Je ne suis qu'au printemps. Je veux voir la moisson,
Et comme le soleil, de saison en saison,
      Je veux achever mon année.
Brillante sur ma tige et l'honneur du jardin,
35 Je n'ai vu luire encor que les feux du matin;
      Je veux achever ma journée.

Ô mort! tu peux attendre; éloigne, éloigne-toi;
Va consoler les cœurs que la honte, l'effroi,
      Le pâle désespoir dévore.
40 Pour moi Palès encore a des asiles verts,
Les amours des baisers, les muses des concerts.
      Je ne veux point mourir encore. »

Ainsi, triste et captif, ma lyre toutefois
S'éveillait, écoutant ces plaintes, cette voix,
45   Ces vœux d'une jeune captive;
Et secouant le faix de mes jours languissants,
Aux douces lois des vers je pliais les accents
      De sa bouche aimable et naïve.

---

1. Le raisin, la vigne.

Ces chants, de ma prison témoins harmonieux,
50 Feront à quelque amant des loisirs studieux
        Chercher quelle fut cette belle.
La grâce décorait son front et ses discours,
Et comme elle craindront de voir finir leurs jours
        Ceux qui les passeront près d'elle.

SYNTHÈSE Le siècle des Lumières

Les innovations linguistiques

Sur le plan linguistique, le siècle des Lumières n'apporte pas de changements notables. Dans son *Dictionnaire philosophique,* Voltaire écrit que «toute langue étant imparfaite, il ne s'ensuit pas qu'on doit la changer. Il faut absolument s'en tenir à la manière dont les bons auteurs l'ont parlée ; et quand on a un nombre suffisant d'auteurs approuvés, la langue est fixée». Le XVIIIe siècle consolide ainsi le travail de normalisation entrepris au siècle précédent. Par ailleurs, avec l'avènement du drame bourgeois commence à apparaître le mélange des différents registres de langue. Cette rencontre entre langue populaire et langue aristocratique sera au cœur des changements qui surviendront au siècle suivant.

Les courants de pensée

La pensée du siècle des Lumières, véhiculée par les écrivains-philosophes, se caractérise par une volonté d'éclairer les esprits en combattant les préjugés et l'intolérance. Les réflexions sur la nature humaine font naître de nouveaux concepts philosophiques (par exemple, Rousseau et le naturalisme, Diderot et le matérialisme). Sur le plan esthétique, on assiste à un retour en force des passions et des sentiments alors que la plupart des œuvres théâtrales et romanesques dénotent une tendance marquée pour le réalisme.

Chapitre 5

Le romantisme

Eugène Delacroix (1798-1863). *Jeune orpheline au cimetière* (sans date).
Musée du Louvre, Paris, France.

Le romantisme au fil du temps

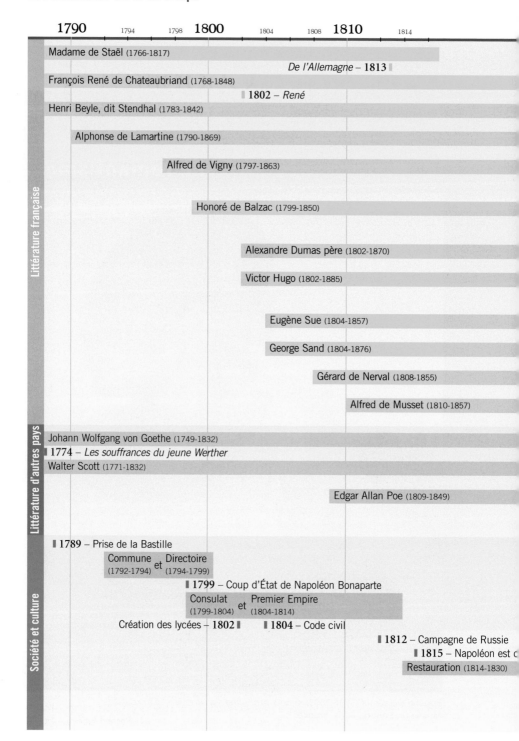

| 1790 | 1794 | 1798 | 1800 | 1804 | 1808 | 1810 | 1814 |

Littérature française

Madame de Staël (1766-1817)

De l'Allemagne – **1813**

François René de Chateaubriand (1768-1848)

1802 – *René*

Henri Beyle, dit Stendhal (1783-1842)

Alphonse de Lamartine (1790-1869)

Alfred de Vigny (1797-1863)

Honoré de Balzac (1799-1850)

Alexandre Dumas père (1802-1870)

Victor Hugo (1802-1885)

Eugène Sue (1804-1857)

George Sand (1804-1876)

Gérard de Nerval (1808-1855)

Alfred de Musset (1810-1857)

Littérature d'autres pays

Johann Wolfgang von Goethe (1749-1832)

1774 – *Les souffrances du jeune Werther*

Walter Scott (1771-1832)

Edgar Allan Poe (1809-1849)

Société et culture

1789 – Prise de la Bastille

Commune (1792-1794) et Directoire (1794-1799)

1799 – Coup d'État de Napoléon Bonaparte

Consulat (1799-1804) et Premier Empire (1804-1814)

Création des lycées – **1802**

1804 – Code civil

1812 – Campagne de Russie

1815 – Napoléon est c

Restauration (1814-1830)

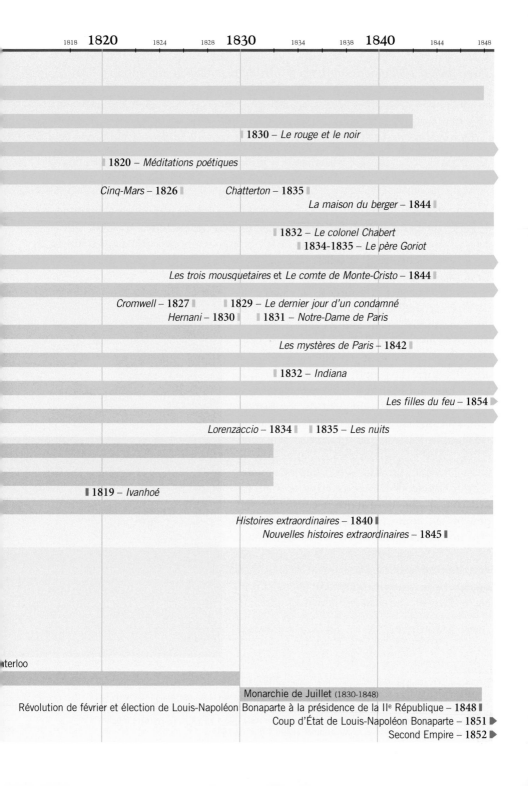

1818 **1820** 1824 1828 **1830** 1834 1838 **1840** 1844 1848

1830 – *Le rouge et le noir*

1820 – *Méditations poétiques*

Cinq-Mars – 1826   *Chatterton* – 1835

La maison du berger – 1844

1832 – *Le colonel Chabert*
1834-1835 – *Le père Goriot*

Les trois mousquetaires et *Le comte de Monte-Cristo* – 1844

Cromwell – 1827   1829 – *Le dernier jour d'un condamné*
Hernani – 1830   1831 – *Notre-Dame de Paris*

Les mystères de Paris – 1842

1832 – *Indiana*

Les filles du feu – 1854

Lorenzaccio – 1834   1835 – *Les nuits*

1819 – *Ivanhoé*

Histoires extraordinaires – 1840
Nouvelles histoires extraordinaires – 1845

terloo

Monarchie de Juillet (1830-1848)
Révolution de février et élection de Louis-Napoléon Bonaparte à la présidence de la IIe République – 1848
Coup d'État de Louis-Napoléon Bonaparte – 1851
Second Empire – 1852

LE CONTEXTE SOCIOHISTORIQUE (1789-1848)

La France du XIXᵉ siècle vit de nombreux bouleversements politiques et sociaux, conséquence de la période trouble qui suit la Révolution de 1789 et de la révolution industrielle, qui accroît les pouvoirs de la bourgeoisie et entraîne l'émergence d'une nouvelle classe sociale, celle des ouvriers. Ces transformations profondes s'accompagnent d'importants changements de mentalités au sein de la société française.

Bien que la Révolution de 1789 soit l'œuvre du tiers état, c'est-à-dire du peuple de Paris et de la bourgeoisie (marchande et professionnelle), la France n'est pas pour autant une démocratie. Le pouvoir politique devra en effet subir un long et difficile processus de transformation avant de se doter d'un véritable régime démocratique. La Révolution conduit à un gouvernement révolutionnaire appelé Commune de Paris, qui est à l'origine de l'arrestation et de l'exécution du roi. En 1794, après deux années de Terreur[1], les membres de la Commune sont déportés ou guillotinés en raison de leurs excès, et celle-ci est remplacée jusqu'en 1799 par le Directoire.

Ce nouveau régime, comme la Commune avant lui, est dominé par la bourgeoisie. Chargé du pouvoir exécutif, le Directoire élit un nouveau directeur annuellement afin d'éviter de répéter les erreurs du passé ; il n'y a donc pas de véritable chef. La France connaît par ailleurs une grave crise financière. Le peuple, écarté du pouvoir, se sent impuissant et dépossédé. Le jeune général Napoléon Bonaparte, vainqueur de nombreuses campagnes militaires et adulé de la population, va saisir cette occasion pour fomenter un coup d'État en 1799. Un nouveau régime appelé Consulat est alors mis sur pied. Nommé premier consul, Napoléon désire gouverner la France à sa façon. Il cherche d'abord à consolider son pouvoir en appuyant la bourgeoisie (il crée notamment la Banque de France) et en limitant la liberté politique et la liberté de presse[2]. Après s'être fait nommer premier consul à vie (1802), Bonaparte se proclame empereur Napoléon Iᵉʳ en 1804, instituant ainsi le Premier Empire.

Antoine-Jean Gros (1771-1835). *Le général Bonaparte au pont d'Arcole, le 17 novembre 1796* (1796). Château et Trianons, Versailles, France.

---

1. Tribunal criminel mis sur pied par la Commune dans le but de juger toutes les personnes suspectées d'agissements contre-révolutionnaires, entre autres les nobles et les prêtres réfractaires. La Terreur, prolongement du gouvernement, devient une dictature qui fait des milliers de victimes.
2. Des 70 périodiques qui circulaient en 1799, il n'en reste que 4 en 1814. La censure touche aussi les théâtres, qui voient leur nombre réduit à huit en 1807.

L'ambition démesurée de l'empereur pousse celui-ci à lancer sa grande armée à la conquête de l'Europe. Après une série de campagnes victorieuses qui font oublier au peuple la censure et les troubles politiques, le vent commence à tourner. À partir de 1811, la France est rongée par une crise économique, alors que l'armée française connaît une cuisante défaite en Russie (1812). En 1814, l'empereur est forcé d'abdiquer et il est condamné par les forces alliées à s'exiler sur l'île d'Elbe. Bonaparte réussit à s'emparer à nouveau du pouvoir pour quelques mois en 1815 (période des Cent-Jours), mais il est défait en Belgique lors de la bataille de Waterloo. Déporté sur l'île Sainte-Hélène, il meurt en 1821.

Après la chute de l'empereur, les Français, lassés du tumulte et des guerres, accueillent plutôt favorablement le retour de la monarchie. Cette période, brièvement interrompue par le retour de Bonaparte, est appelée Restauration (1814 à 1830). Pour la première fois de son histoire, la France se dote d'une monarchie parlementaire. À la tête de celle-ci se succèdent les frères de Louis XVI : Louis XVIII (jusqu'en 1824) et Charles X (jusqu'en 1830). Les débats d'idées sont au cœur de la vie politique, où s'affrontent deux tendances : la droite, représentée par les monarchistes, et la gauche, défendue par les libéraux[1]. Le pays est néanmoins encore agité et l'année 1830 est ponctuée de plusieurs soulèvements populaires, consécutifs à la décision du roi Charles X de dissoudre le parlement et d'abolir la liberté de la presse. Au mois de juillet 1830, plusieurs barricades sont installées dans Paris : c'est la révolution de juillet. Louis-Philippe Ier monte alors sur le trône avec le soutien de la bourgeoisie, qui souhaite la présence d'un monarque libéral qui saura défendre ses intérêts. Louis-Philippe restera à la tête de ce qu'il est convenu d'appeler la monarchie de Juillet jusqu'en 1848.

À partir de 1846, la France traverse une série de difficultés économiques, de pénuries alimentaires et de soulèvements ouvriers. Cette période de crise culmine en 1848, avec l'abdication du roi Louis-Philippe, dont l'impopularité n'a fait que croître au fil des ans. Le parlement en profite pour établir un gouvernement provisoire et proclame la IIe République. Un suffrage universel porte alors au pouvoir le neveu de Napoléon Ier, Louis-Napoléon Bonaparte. En décembre 1851, ce dernier réussit un coup d'État et proclame le Second Empire au cours de l'année suivante, qu'il dirigera sous le nom de Napoléon III.

C'est aussi durant la première moitié du XIXe siècle que s'amorce l'industrialisation en France, à la suite de l'Angleterre et de l'Allemagne. Cette transformation économique sans précédent consolide le pouvoir des bourgeois en favorisant l'essor du capitalisme. Quant au peuple, après être sorti perdant de la révolution politique, il sort encore perdant de la révolution économique, car cette nouvelle classe d'ouvriers ou « prolétaires » se retrouve pour ainsi dire esclave de la bourgeoisie dominante. Les inégalités liées à ce nouveau contexte économique et social vont entraîner à leur tour d'autres mouvements de révolte populaire.

---

1. Les termes « droite » et « gauche », utilisés en politique, remontent à cette époque où les monarchistes occupaient les bancs placés à droite du président, alors que les libéraux, qui militaient pour la république, occupaient les bancs placés à gauche.

La culture et les croyances

Au moment de la Révolution, une vague de vandalisme[1] s'abat sur Paris, le peuple s'en prenant à tout ce qui peut évoquer la monarchie ou le clergé. Devant cette situation, l'État décide de faire ériger des musées afin de protéger le patrimoine national[2] : musée du Louvre (1793), Muséum d'histoire naturelle (1793), musée des Monuments français (1796) – ce dernier résultant d'une initiative privée. La population peut désormais avoir accès à ce qui était naguère réservé à l'élite, et ces nouvelles institutions publiques deviennent rapidement très populaires. De plus, la création des lycées (1802) ayant fait diminuer l'analphabétisme de façon sensible, il en résulte un développement accéléré des périodiques, dont l'influence ne cesse de croître. Une culture populaire commence à voir le jour, encouragée notamment par l'amélioration des techniques d'impression et la reconnaissance des droits d'auteur. Le statut de l'artiste se modifie en même temps que se produit une réelle démocratisation de l'art.

La démocratisation de l'art

Les techniques de fabrication du papier et d'impression, jusqu'alors plutôt artisanales, se mécanisent à partir de 1830[3]. En outre, grâce à un nouveau procédé appelé lithographie[4], il est désormais possible d'illustrer les textes. Le premier périodique illustré, *La Caricature*, paraît en 1830. Les œuvres artistiques peuvent aussi être reproduites mécaniquement. Ainsi, l'industrialisation de l'art permet de faire entrer dans les foyers des copies de tableaux célèbres. Par ailleurs, la multiplication des journaux et la baisse des coûts d'abonnement, rendue possible grâce à l'avènement de la publicité, créent une vive concurrence. Les éditeurs de journaux cherchent alors à fidéliser leur clientèle en publiant dans leurs pages des romans-feuilletons.

Honoré Daumier (1808-1879). *Victor Hugo poète français* (1849). Musée Victor Hugo, Paris, France.

---

1. Ce terme, employé pour la première fois à cette époque, désigne alors l'attitude destructrice de certains révolutionnaires à l'égard du patrimoine artistique de l'Ancien Régime.
2. Malheureusement, la vocation de ces musées sera rapidement détournée et ceux-ci serviront même d'entrepôts pour les « butins » de guerre.
3. En 1823, la presse mécanique d'Applegath et Cowper peut produire un tirage de 50 000 exemplaires par jour.
4. Procédé qui consiste à graver le dessin sur une pierre calcaire au grain très fin. Cette technique a été mise au point en Allemagne en 1796 par Alois Senefelder.

DOCUMENTAIRE

Le roman-feuilleton

Les journaux sont à l'origine de la « popularisation » des œuvres littéraires. Dès 1836, de nombreux périodiques font paraître des romans par épisodes. Les premiers romans-feuilletons proviennent surtout d'auteurs inconnus ou étrangers ; d'autres sont des œuvres déjà publiées sous forme de livre. Devant le succès populaire qui s'ensuit, les éditeurs de périodiques multiplient leurs efforts pour attirer des auteurs renommés. À partir de 1840, la presque totalité des auteurs publient leurs œuvres dans les quotidiens en contrepartie d'une rétribution convenable[1].

Le dynamisme économique engendré par l'augmentation des tirages favorise la traduction de certaines œuvres étrangères, dont l'influence ne tarde pas à se faire sentir. Ainsi, les pièces de Shakespeare, que les Français découvrent à partir de 1822, servent de modèle dans le débat qui oppose l'esthétique romantique à l'esthétique classique, et les romans de l'Écossais Walter Scott créent un engouement pour le roman d'action, que perpétuent les œuvres d'Alexandre Dumas.

La popularité des romans-feuilletons s'étend à toutes les couches de la société. Les lecteurs se passionnent notamment pour *Les mystères de Paris,* d'Eugène Sue. Publié de 1842 à 1843, ce roman qui défend des idées sociales et humanitaires suscite un intérêt si extraordinaire que le *Journal des débats*, où il paraît, atteint un tirage record de 10 000 exemplaires.

En ce début de siècle tourmenté, les préoccupations des créateurs se situent bien au-delà de la simple recherche formelle. Ainsi, alors que certains écrivains se tournent vers l'introspection et l'expression des émotions personnelles, d'autres optent pour l'engagement social et politique. L'écrivain devient alors le porte-étendard des revendications des plus faibles et des plus démunis, et sa lutte pour la liberté de l'art est aussi une lutte pour la liberté des individus. Cette recherche d'indépendance s'inscrit dans une forme de révolution artistique qui s'oppose à la tradition classique.

LE ROMANTISME

Apparu en Allemagne au milieu du XVIIIᵉ siècle, puis en Angleterre, un nouveau courant de pensée se répand en Europe et atteint la France au début du XIXᵉ siècle. À la fois littéraire, culturel et artistique, le mouvement romantique réagit vigoureusement au classicisme et au rationalisme des Lumières et lutte pour la liberté de l'art en plaçant l'expression individuelle au centre des préoccupations de l'artiste. Jean-Jacques Rousseau est considéré comme le précurseur du romantisme français. De fait, certaines œuvres (*Les confessions, Julie ou La nouvelle Héloïse*) de

---

1. Chateaubriand publie ses *Mémoires d'outre-tombe* pour 100 000 francs, et Eugène Sue reçoit 26 500 francs pour ses *Mystères de Paris*. Habituellement, le journal paie entre 50 centimes et 1,25 franc la ligne. Par ailleurs, le plagiat et la violation du droit d'auteur se répandent de plus en plus. Pour contrer ce problème, les éditeurs définissent des zones de distribution et publient des collections de poche à prix modique.

cet écrivain des Lumières contiennent déjà l'une des caractéristiques les plus importantes du romantisme, c'est-à-dire le sentiment de la nature, fondé sur un rapport étroit entre le paysage extérieur et le paysage intérieur (celui de l'âme). On y trouve aussi le même penchant pour la rêverie, la mélancolie et l'introspection, ainsi qu'un certain mal de vivre. Toutefois, ce n'est que plusieurs décennies plus tard que se développe ce courant nouveau marqué par une quête d'absolu, soit après que Madame de Staël l'eut introduit en France.

Madame de Staël (1766-1817) a beaucoup voyagé, ayant été forcée de s'exiler après la Révolution – et encore une fois pendant le règne de Napoléon – en raison de ses idées jugées trop libérales. De retour en France, elle fait connaître les œuvres des romantiques allemands, notamment celles du groupe Sturm und Drang («tempête et passion»), dans lesquelles s'expriment sans contrainte l'imaginaire et les émotions de leurs auteurs. C'est d'ailleurs un roman allemand (*Les souffrances du jeune Werther,* écrit en 1774 par Goethe) qui servira de modèle à la nouvelle génération des romantiques. Madame de Staël écrit, entre autres, un traité intitulé *De l'Allemagne* (1813), dans lequel elle fait l'éloge de cette littérature sensible et novatrice. Elle est aussi reconnue pour être la première théoricienne du romantisme français.

En littérature, le romantisme des premières décennies (1789-1820) se définit principalement par une tendance marquée pour l'exaltation du moi et l'expression d'un sentiment généralisé d'inadaptation au monde, ce que Chateaubriand désigne par le «vague des passions» ou encore le «mal du siècle».

DOCUMENTAIRE

ENCADRÉ

Le «mal du siècle»

Le début du XIXᵉ siècle marque une rupture avec l'époque des Lumières, au cours de laquelle le progrès inspirait confiance et espoir. Au lieu d'une nouvelle société équitable, la France voit triompher un monde mercantiliste et individualiste où chacun cherche à protéger ses acquis. Les aristocrates ont perdu tous leurs privilèges et le peuple continue d'être dominé. Seule la bourgeoisie, portée par l'industrialisation naissante, semble sortir gagnante de cette situation. Elle peut maintenant imposer à la société entière ses valeurs et sa morale.

La rapidité avec laquelle la société se transforme fait naître un nouveau rapport au temps qui bouleverse les sensibilités individuelles. Pris dans le tourbillon de l'histoire, les individus – en particulier les artistes – cherchent en vain un espace où s'affirmer et en ressentent un profond sentiment de détresse. Ils sont nombreux à s'interroger sur leur place dans cette société conformiste et à prendre conscience qu'ils ne peuvent plus espérer de réels changements de l'extérieur. L'artiste désabusé n'a plus qu'à se tourner vers lui-même et à explorer son monde intérieur dans l'espoir de se retrouver. Au tumulte social et politique correspond un tumulte intérieur qui engendre un malaise indéfinissable: c'est le mal du siècle. L'artiste romantique va alors mettre à profit son énergie et son génie créateur pour exprimer son désarroi, ce «mal de vivre» qui l'accable.

En traduisant dans un style lyrique et sensible le climat de morosité ressenti par toute une nouvelle génération de poètes, les *Méditations poétiques* (1820) de Lamartine marquent les débuts du romantisme français. Ce nouveau courant de pensée se caractérise avant tout par un désir de faire triompher le sentiment sur la raison et de lutter contre le conformisme bourgeois qui s'est installé au lendemain de la Révolution. À cette nouvelle société fondée sur le matérialisme, l'artiste marginalisé oppose son droit à la liberté créatrice et au rêve. Il se tourne vers la nature, confidente ou consolatrice ; il se complaît dans la nostalgie d'un Moyen Âge glorieux ou encore il parcourt le monde à la recherche de paysages exotiques qui cadrent davantage avec ses états d'âme. On assiste aussi à un retour du sentiment religieux, écarté pendant la Révolution, en même temps qu'apparaît un intérêt pour l'occultisme. Par ailleurs, bien qu'un grand nombre d'écrivains romantiques préfèrent s'en tenir à l'intériorisation afin de pouvoir mieux explorer les plus infimes nuances de leurs souffrances, d'autres trouvent dans l'action et l'engagement une façon de combattre la léthargie ambiante et d'orienter positivement leur énergie créatrice. Se sentant investis d'une mission, ces écrivains engagés, en particulier Victor Hugo, se chargent de guider le peuple démuni et opprimé vers un avenir meilleur.

Eugène Delacroix (1798-1863). *La liberté guidant le peuple* (1830). Musée du Louvre, Paris, France.

Chef de file des romantiques, Victor Hugo (1802-1885) ambitionne de faire du romantisme une révolution littéraire : « Je mis un bonnet rouge au vieux dictionnaire[1] », écrira-t-il pour expliquer la présence du langage populaire dans ses œuvres et son refus de distinguer le langage noble du langage « bas ». Le Cénacle, groupe d'écrivains rassemblés autour de Hugo, définit ainsi les objectifs de ce mouvement qui reflète les aspirations partagées par l'ensemble des créateurs : la liberté dans l'art et l'individu au cœur des préoccupations.

Le Cénacle entreprend de lutter contre le formalisme classique qui entrave l'esprit créatif depuis plus de deux siècles, en particulier au théâtre. En 1827, Hugo écrit sa pièce *Cromwell*, qui se veut une illustration de la nouvelle esthétique romantique. La longue préface annexée au texte dramatique jouera un rôle plus grand que la pièce elle-même dans ce nouveau combat des Anciens et des Modernes. Dans sa *Préface de Cromwell*, qui se présente comme un manifeste du nouveau drame romantique, Hugo s'en prend à la tragédie classique et plaide en faveur du mélange des genres et de l'abolition des règles liées à l'unité de temps et de lieu.

ŒUVRE — Victor Hugo (1802-1885)

Préface de *Cromwell*

L'unité de temps n'est pas plus solide que l'unité de lieu. L'action, encadrée de force dans les vingt-quatre heures, est aussi ridicule qu'encadrée dans le vestibule. Toute action a sa durée propre comme son lieu
5   particulier. Verser la même dose de temps à tous les événements ! appliquer la même mesure sur tout ! On rirait d'un cordonnier qui voudrait mettre le même soulier à tous les pieds. Croiser l'unité de temps à l'unité de lieu comme les barreaux d'une cage, et y faire pédantesquement entrer, de par Aristote, tous ces faits, tous ces peuples, toutes ces figures
10 que la providence déroule à si grandes masses dans la réalité ! c'est mutiler hommes et choses, c'est faire grimacer l'histoire. Disons mieux : tout cela mourra dans l'opération ; et c'est ainsi que les mutilateurs dogmatiques arrivent à leur résultat ordinaire : ce qui était vivant dans la chronique est mort dans la tragédie. Voilà pourquoi, bien souvent, la cage des unités ne renferme qu'un
15 squelette. [...]

Il suffirait enfin, pour démontrer l'absurdité de la règle des deux unités, d'une dernière raison, prise dans les entrailles de l'art. C'est l'existence de la troisième unité, l'unité d'action, la seule admise de tous parce qu'elle résulte d'un

---

1. Citation tirée de « Réponse à un acte d'accusation », écrit en 1856. Le bonnet rouge fait référence au bonnet phrygien que portaient les révolutionnaires.

fait : l'œil ni l'esprit humain ne sauraient saisir plus d'un ensemble à la fois.
20 Celle-là est aussi nécessaire que les deux autres sont inutiles. C'est elle qui
marque le point de vue du drame ; or, par cela même, elle exclut les deux
autres. Il ne peut pas plus y avoir trois unités dans le drame que trois horizons
dans un tableau. Du reste, gardons-nous de confondre l'unité avec la simpli-
cité d'action. L'unité d'ensemble ne répudie en aucune façon les actions secon-
25 daires sur lesquelles doit s'appuyer l'action principale. Il faut seulement que ces
parties, savamment subordonnées au tout, gravitent sans cesse vers l'action
centrale et se groupent autour d'elle aux différents étages ou plutôt sur les
divers plans du drame. L'unité d'ensemble est la loi de perspective du théâtre.

L'ÉCRITURE ROMANTIQUE

Le XIXᵉ siècle voit l'œuvre littéraire se transformer : délaissant l'imitation de la réalité, celle-ci se veut désormais le reflet de l'esprit de l'artiste qui, lui, appa-raît comme le guide, le génie inspiré. Ce nouveau rapport à l'œuvre explique les principales caractéristiques de l'écriture romantique : le refus des conventions, la liberté créatrice, la volonté d'adapter l'art au monde moderne, d'élargir les hori-zons artistiques et esthétiques, de même qu'un goût marqué pour l'histoire, la nature et le pittoresque. Ces tendances neuves se remarquent autant dans le roman que dans le théâtre et la poésie.

LA POÉSIE

C'est d'abord dans la poésie que se manifeste le courant romantique. Pour les poètes de la nouvelle génération, celle-ci revêt une signification inédite et supé-rieure. En effet, pour ces romantiques, seule la poésie est en mesure de changer le monde et de satisfaire leur besoin d'absolu. Abandonnant l'idée du beau au profit de l'authenticité du sentiment, la poésie est désormais perçue, selon Lamartine, comme un « chant intérieur », l'instrument qui permet d'exprimer ses rêves, ses désirs ou ses désespoirs. Mais les épanchements de l'âme n'empêchent pas le poète de rendre compte du tumulte social et politique dans lequel il vit : les thèmes du vertige du temps, de l'inadéquation au monde de même que les revendications de liberté et de justice se retrouvent dans nombre d'œuvres.

Issu d'une famille d'aristocrates, Alphonse de Lamartine (1790-1869) poursuit une carrière politique parallèlement à sa vocation littéraire et connaît un immense succès avec ses *Méditations poétiques*, publiées en 1820. Ses œuvres lyriques tra-duisent par l'intermédiaire de la nature, objet de contemplation, les sentiments et les angoisses de l'écrivain. La passion de Lamartine pour Julie Charles, une jeune femme mariée qui mourra bientôt de tuberculose, est à l'origine du poème « Le lac », dans lequel il évoque la fuite du temps et la mort de celle qui avait coutume d'aller contempler cet endroit avec lui.

Alphonse de Lamartine (1790-1869)

Méditations poétiques – XIII

Le lac

Ainsi, toujours poussés vers de nouveaux rivages,
Dans la nuit éternelle emportés sans retour,
Ne pourrons-nous jamais sur l'océan des âges
Jeter l'ancre un seul jour ?

5 Ô lac ! l'année à peine a fini sa carrière,
Et près des flots chéris qu'elle devait revoir,
Regarde ! je viens seul m'asseoir sur cette pierre
Où tu la vis s'asseoir !

Tu mugissais ainsi sous ces roches profondes ;
10 Ainsi tu te brisais sur leurs flancs déchirés ;
Ainsi le vent jetait l'écume de tes ondes
Sur ses pieds adorés.

Un soir, t'en souvient-il ? nous voguions en silence ;
On n'entendait au loin, sur l'onde et sous les cieux,
15 Que le bruit des rameurs qui frappaient en cadence
Tes flots harmonieux.

Tout à coup des accents inconnus à la terre
Du rivage charmé frappèrent les échos ;
Le flot fut attentif, et la voix qui m'est chère
20 Laissa tomber ces mots :

« Ô temps, suspends ton vol ! et vous, heures propices,
Suspendez votre cours !
Laissez-nous savourer les rapides délices
Des plus beaux de nos jours !

25 « Assez de malheureux ici-bas vous implorent,
Coulez, coulez pour eux ;
Prenez avec leurs jours les soins[1] qui les dévorent,
Oubliez les heureux.

« Mais je demande en vain quelques moments encore,
30 Le temps m'échappe et fuit ;
Je dis à cette nuit : Sois plus lente ; et l'aurore
Va dissiper la nuit.

« Aimons donc, aimons donc ! de l'heure fugitive,
Hâtons-nous, jouissons !
35 L'homme n'a point de port, le temps n'a point de rive ;
Il coule, et nous passons ! »

---

1. Inquiétudes.

Temps jaloux, se peut-il que ces moments d'ivresse,
Où l'amour à longs flots nous verse le bonheur,
S'envolent loin de nous de la même vitesse
40 Que les jours de malheur?

Eh quoi! n'en pourrons-nous fixer au moins la trace?
Quoi! passés pour jamais? quoi! tout entiers perdus?
Ce temps qui les donna, ce temps qui les efface,
Ne nous les rendra plus?

45 Éternité, néant, passé, sombres abîmes,
Que faites-vous des jours que vous engloutissez?
Parlez: nous rendrez-vous ces extases sublimes
Que vous nous ravissez?

Ô lac! rochers muets! grottes! forêt obscure!
50 Vous, que le temps épargne ou qu'il peut rajeunir,
Gardez de cette nuit, gardez, belle nature,
Au moins le souvenir!

Qu'il soit dans ton repos, qu'il soit dans tes orages,
Beau lac, et dans l'aspect de tes riants coteaux,
55 Et dans ces noirs sapins, et dans ces rocs sauvages
Qui pendent sur tes eaux.

Qu'il soit dans le zéphyr qui frémit et qui passe,
Dans les bruits de tes bords par tes bords répétés,
Dans l'astre au front d'argent qui blanchit ta surface
60 De ses molles clartés.

Que le vent qui gémit, le roseau qui soupire
Que les parfums légers de ton air embaumé,
Que tout ce qu'on entend, l'on voit ou l'on respire,
Tout dise: Ils ont aimé!

Alfred de Musset (1810-1857) fréquente le Cénacle pendant un certain temps avant de prendre ses distances. Contrairement à Hugo, Musset refuse de s'engager politiquement, jugeant que l'émotion essentielle à l'inspiration ne peut naître que dans la solitude. Menant une vie de plaisirs (vin, jeu, femmes), qui sont autant de baumes éphémères sur sa souffrance intérieure, ce brillant jeune auteur a écrit la presque totalité de son œuvre poétique avant l'âge de 25 ans. En 1833, Musset fait la rencontre de George Sand (de son vrai nom Aurore Dupin), dont il tombe follement amoureux. Leur relation houleuse, ponctuée de nombreuses ruptures, prendra fin deux ans plus tard. C'est à ce moment que Musset écrit son recueil *Les nuits* – d'où le poème suivant est tiré –, dans lequel s'affirme son génie désespéré. De tous les romantiques, Musset est sans doute celui qui a su le mieux allier la légèreté à la souffrance.

Alfred de Musset (1810-1857)

La nuit de décembre

Le poète

Du temps que j'étais écolier,
Je restais un soir à veiller
Dans notre salle solitaire.
Devant ma table vint s'asseoir
5 Un pauvre enfant vêtu de noir,
Qui me ressemblait comme un frère.

Son visage était triste et beau :
À la lueur de mon flambeau,
Dans mon livre ouvert il vint lire.
10 Il pencha son front sur sa main,
Et resta jusqu'au lendemain,
Pensif, avec un doux sourire.

Comme j'allais avoir quinze ans
Je marchais un jour, à pas lents,
15 Dans un bois, sur une bruyère.
Au pied d'un arbre vint s'asseoir
Un jeune homme vêtu de noir,
Qui me ressemblait comme un frère.

Je lui demandai mon chemin ;
20 Il tenait un luth d'une main,
De l'autre un bouquet d'églantines.
Il me fit un salut d'ami,
Et, se détournant à demi,
Me montra du doigt la colline.

25 À l'âge où l'on croit à l'amour,
J'étais seul dans ma chambre un jour,
Pleurant ma première misère.
Au coin de mon feu vint s'asseoir
Un étranger vêtu de noir,
30 Qui me ressemblait comme un frère.

Il était morne et soucieux ;
D'une main il montrait les cieux,
Et de l'autre il tenait un glaive.
De ma peine il semblait souffrir,
35 Mais il ne poussa qu'un soupir,
Et s'évanouit comme un rêve.

À l'âge où l'on est libertin,
Pour boire un toast en un festin,
Un jour je soulevais mon verre.
40 En face de moi vint s'asseoir
Un convive vêtu de noir,
Qui me ressemblait comme un frère.

Il secouait sous son manteau
Un haillon de pourpre en lambeau,
45 Sur sa tête un myrte stérile.
Son bras maigre cherchait le mien,
Et mon verre, en touchant le sien,
Se brisa dans ma main débile.

Un an après, il était nuit ;
50 J'étais à genoux près du lit
Où venait de mourir mon père.
Au chevet du lit vint s'asseoir
Un orphelin vêtu de noir,
Qui me ressemblait comme un frère.

55 Ses yeux étaient noyés de pleurs ;
Comme les anges de douleurs,
Il était couronné d'épine ;
Son luth à terre était gisant,
Sa pourpre de couleur de sang,
60 Et son glaive dans sa poitrine.

Je m'en suis si bien souvenu,
Que je l'ai toujours reconnu
À tous les instants de ma vie.
C'est une étrange vision,
65 Et cependant, ange ou démon,
J'ai vu partout cette ombre amie.

[...]

Qui donc es-tu, spectre de ma jeunesse,
Pèlerin que rien n'a lassé?
Dis-moi pourquoi je te trouve sans cesse
70 Assis dans l'ombre où j'ai passé.
Qui donc es-tu, visiteur solitaire,
Hôte assidu de mes douleurs?
Qu'as-tu donc fait pour me suivre sur terre?
Qui donc es-tu, qui donc es-tu, mon frère,
75 Qui n'apparais qu'au jour des pleurs?

La vision

— Ami, notre père est le tien.
Je ne suis ni l'ange gardien,
Ni le mauvais destin des hommes.
Ceux que j'aime, je ne sais pas
5 De quel côté s'en vont leurs pas
Sur ce peu de fange où nous sommes.

Je ne suis ni dieu ni démon,
Et tu m'as nommé par mon nom
Quand tu m'as appelé ton frère;
10 Où tu vas, j'y serai toujours,
Jusques au dernier de tes jours,
Où j'irai m'asseoir sur ta pierre.

Le ciel m'a confié ton cœur.
Quand tu seras dans la douleur,
15 Viens à moi sans inquiétude.
Je te suivrai sur le chemin;
Mais je ne puis toucher ta main,
Ami, je suis la Solitude.

Eugène Lami (1800-1890).
La nuit de décembre.
Châteaux de Malmaison
et de Bois-Préau,
Rueil-Malmaison, France.

Victor Hugo (1802-1885), symbole de l'écrivain romantique engagé, traite abondamment dans ses œuvres du rôle social qui échoit au poète. Dans «La fonction du poète» – tiré du recueil *Les rayons et les ombres* (1839) –, l'écrivain devient le mage, le guide auquel le peuple peut se fier. Fidèle à son engagement, Hugo s'éverturera durant toute sa vie à donner une voix aux «misérables», ceux dont la bonne société préfère généralement taire l'existence.

Victor Hugo (1802-1885)

La fonction du poète

Dieu le veut, dans les temps contraires,
Chacun travaille et chacun sert.
Malheur à qui dit à ses frères:
Je retourne dans le désert!
5 Malheur à qui prend ses sandales
Quand les haines et les scandales
Tourmentent le peuple agité!
Honte au penseur qui se mutile
Et s'en va, chanteur inutile,
10 Par la porte de la cité!

Le poète en des jours impies
Vient préparer des jours meilleurs.
Il est l'homme des utopies,
Les pieds ici, les yeux ailleurs.
15 C'est lui qui sur toutes les têtes,
En tout temps, pareil aux prophètes,
Dans sa main, où tout peut tenir,
Doit, qu'on l'insulte ou qu'on le loue,
Comme une torche qu'il secoue,
20 Faire flamboyer l'avenir!

Il voit, quand les peuples végètent!
Ses rêves, toujours pleins d'amour,
Sont faits des ombres que lui jettent
Les choses qui seront un jour.
25 On le raille. Qu'importe! il pense.
Plus d'une âme inscrit en silence
Ce que la foule n'entend pas.
Il plaint ses contempteurs frivoles;
Et maint faux sage à ses paroles
30 Rit tout haut et songe tout bas!

[...]

Peuples ! écoutez le poète !
Écoutez le rêveur sacré !
Dans votre nuit, sans lui complète,
Lui seul a le front éclairé.
35 Des temps futurs perçant les ombres,
Lui seul distingue en leurs flancs sombres
Le germe qui n'est pas éclos.
Homme, il est doux comme une femme.
Dieu parle à voix basse à son âme
40 Comme aux forêts et comme aux flots.

C'est lui qui, malgré les épines,
L'envie et la dérision,
Marche, courbé dans vos ruines,
Ramassant la tradition.
45 De la tradition féconde
Sort tout ce qui couvre le monde,
Tout ce que le ciel peut bénir.
Toute idée, humaine ou divine,
Qui prend le passé pour racine
50 A pour feuillage l'avenir.

Il rayonne ! il jette sa flamme
Sur l'éternelle vérité !
Il la fait resplendir pour l'âme
D'une merveilleuse clarté.
55 Il inonde de sa lumière
Ville et désert, Louvre et chaumière,
Et les plaines et les hauteurs ;
À tous d'en haut il la dévoile ;
Car la poésie est l'étoile
60 Qui mène à Dieu rois et pasteurs.

Émile Bayard (1837-1891).
Cosette (1879). Musée Victor Hugo,
Paris, France.

Alfred de Vigny (1797-1863) mène de front la carrière de militaire et celle d'écrivain. Il fréquente les romantiques qui gravitent autour de Victor Hugo et participe à tous les débats littéraires du groupe. Son roman *Cinq-Mars* (1826) connaît un grand succès, mais à la suite de la mort de sa mère (1837) et de sa rupture avec l'actrice Marie Dorval (1838), Vigny s'éloigne des milieux littéraires et s'isole du monde pour se consacrer à la poésie. Selon lui, seuls le silence et la solitude peuvent apaiser les souffrances. Mais contrairement à la plupart des poètes romantiques, Vigny évite les épanchements personnels et le style lyrique afin de mieux traduire l'inquiétude des hommes qui n'attendent de consolation ni de la nature ni de Dieu. Dans ses poèmes à tendance philosophique, Vigny laisse toutefois entrevoir une lueur d'espoir lorsqu'il se donne pour mission de guider l'humanité vers un avenir moins sombre. Entre 1836 et 1844, il écrit « La maison du berger », un long poème de plus de trois cents vers dans lequel il fait état de la fragilité de l'être.

Alfred de Vigny (1797-1863)

La maison du berger — III

[...]

Éva[1], j'aimerai tout dans les choses créées,
Je les contemplerai dans ton regard rêveur
Qui partout répandra ses flammes colorées,
Son repos gracieux, sa magique saveur:
5   Sur mon cœur déchiré viens poser ta main pure,
Ne me laisse jamais seul avec la Nature,
Car je la connais trop pour n'en pas avoir peur.

Elle me dit: «Je suis l'impassible théâtre
Que ne peut remuer le pied de ses acteurs;
10   Mes marches d'émeraude et mes parvis d'albâtre[2],
Mes colonnes de marbre ont les dieux pour sculpteurs.
Je n'entends ni vos cris ni vos soupirs; à peine
Je sens passer sur moi la comédie humaine
Qui cherche en vain au ciel ses muets spectateurs.

15   Je roule avec dédain, sans voir et sans entendre,
À côté des fourmis les populations;
Je ne distingue pas leur terrier de leur cendre,
J'ignore en les portant les noms des nations.
On me dit une mère et je suis une tombe,
20   Mon hiver prend vos morts comme son hécatombe,
Mon printemps ne sent pas vos adorations.

«Avant vous j'étais belle et toujours parfumée,
J'abandonnais au vent mes cheveux tout entiers;
Je suivais dans les cieux ma route accoutumée,
25   Sur l'axe harmonieux des divins balanciers,
Après vous, traversant l'espace où tout s'élance,
J'irai seule et sereine, en un chaste silence
Je fendrai l'air du front et de mes seins altiers.»

C'est là ce que me dit sa voix triste et superbe,
30   Et dans mon cœur alors je la hais, et je vois
Notre sang dans son onde et nos morts sous son herbe
Nourrissant de leurs sucs la racine des bois.
Et je dis à mes yeux qui lui trouvaient des charmes:
«Ailleurs tous vos regards, ailleurs toutes vos larmes,
35   Aimez ce que jamais on ne verra deux fois.»

---

1.   Nom que Vigny donne à Marie Dorval.
2.   Variété de gypse très blanc ou peu coloré.

Oh ! qui verra deux fois ta grâce et ta tendresse,
Ange doux et plaintif qui parle en soupirant ?
Qui naîtra comme toi portant une caresse
Dans chaque éclair tombé de ton regard mourant,
40 Dans les balancements de ta tête penchée,
Dans ta taille indolente[1] et mollement couchée,
Et dans ton pur sourire amoureux et souffrant ?

Vivez froide Nature, et revivez sans cesse
Sous nos pieds, sur nos fronts, puisque c'est votre loi ;
45 Vivez et dédaignez, si vous êtes déesse,
L'homme, humble passager, qui dut vous être un roi ;
Plus que tout votre règne et que ses splendeurs vaines,
J'aime la majesté des souffrances humaines ;
Vous ne recevrez pas un cri d'amour de moi.

50 Mais toi, ne veux-tu pas, voyageuse indolente[2],
Rêver sur mon épaule, en y posant ton front ?
Viens du paisible seuil de la maison roulante
Voir ceux qui sont passés et ceux qui passeront.
Tous les tableaux humains qu'un Esprit pur m'apporte
55 S'animeront pour toi quand devant notre porte
Les grands pays muets longuement s'étendront.

Nous marcherons ainsi, ne laissant que notre ombre
Sur cette terre ingrate où les morts ont passé ;
Nous nous parlerons d'eux à l'heure où tout est sombre,
60 Où tu te plais à suivre un chemin effacé,
À rêver, appuyée aux branches incertaines,
Pleurant, comme Diane[3] au bord de ses fontaines,
Ton amour taciturne[4] et toujours menacé.

Gérard Labrunie, dit Gérard de Nerval (1808-1855), mène une existence vaga-
bonde et publie ses premiers poèmes à l'âge de dix-huit ans. Passionné de littérature
allemande, il se fait connaître par ses traductions, d'abord celle du *Faust* de Goethe,
puis celle des *Contes fantastiques* d'Ernst Hoffmann. Par ailleurs, ses désordres men-
taux et ses amours malheureuses avec l'actrice Jenny Colon le conduisent à de
graves dépressions. Nerval se sert de l'écriture à la fois pour explorer sa souffrance
et pour lutter contre celle-ci. Poète mystique et ésotérique, il laisse libre cours à la
fascination qu'exerce sur lui le rêve, qu'il perçoit comme une seconde vie. En 1854
paraît son recueil de nouvelles, *Les filles du feu*, qui comprend une série de sonnets

1. Qui agit avec nonchalance.
2. Insensible, indifférente.
3. Déesse romaine. Il était interdit aux humains de la regarder, sous peine de châtiment.
4. Silencieux, morose.

rassemblés sous le titre *Les chimères*. Ces sonnets ont été rédigés entre 1843 et 1853, principalement au cours de périodes d'internement. En 1854, peu après la parution de son recueil, Nerval écrit à son médecin qu'il a «de la peine à séparer la vie réelle de celle du rêve». Il se suicide l'année suivante. Dans le premier sonnet du recueil, «El Desdichado[1]», Nerval recourt à des figures oniriques et mythologiques pour exprimer la nostalgie et la sombre destinée du poète.

ŒUVRE

Gérard de Nerval (1808-1855)

El Desdichado

> Je suis le ténébreux, – le veuf, – l'inconsolé,
> Le prince d'Aquitaine à la tour abolie :
> Ma seule *étoile* est morte, – et mon luth constellé
> Porte le *soleil noir* de la *Mélancolie*.
>
> 5 Dans la nuit du tombeau, toi qui m'as consolé,
> Rends-moi le Pausilippe[2] et la mer d'Italie,
> La *fleur* qui plaisait tant à mon cœur désolé,
> Et la treille[3] où le pampre[4] à la rose s'allie.
>
> Suis-je Amour ou Phébus[5], Lusignan ou Biron[6] ?
> 10 Mon front est rouge encor du baiser de la reine ;
> J'ai rêvé dans la grotte où nage la sirène...
>
> Et j'ai deux fois vainqueur traversé l'Achéron[7],
> Modulant tour à tour sur la lyre d'Orphée[8]
> Les soupirs de la sainte et les cris de la fée.

LE THÉÂTRE

Les plus grandes batailles romantiques se déroulent sur le terrain du théâtre, soumis depuis la période classique à des règles nombreuses et contraignantes. C'est d'ailleurs dans ce genre que l'influence étrangère se fait le plus sentir, avec entre autres les pièces de l'Allemand Schiller et du Britannique Shakespeare. En 1830, Victor Hugo présente *Hernani*, qui rencontre une vive opposition de la part des défenseurs du classicisme. Ces derniers vont tenter par différents moyens de faire tomber la pièce. Les premières représentations de *Hernani* donnent lieu à des émeutes, mais

---

1. En français, «Le déshérité». Ce nom est inspiré d'un personnage du roman *Ivanhoé*, de Walter Scott.
2. Promontoire près de Naples où serait le tombeau de Virgile.
3. Cep de vigne qui grimpe le long des murs ou des arbres.
4. Branche de vigne avec ses grappes et ses feuilles.
5. Phébus est un autre nom pour Apollon, le dieu de la raison, de la beauté et des arts.
6. Nerval pensait descendre d'une ancienne famille apparentée aux Lusignan ou aux Biron.
7. Dieu fleuve coulant entre la Terre et les Enfers.
8. Dans la mythologie grecque, Orphée doit aller aux Enfers pour retrouver Eurydice.

l'œuvre remporte par la suite un franc succès. La grande nouveauté de ce drame tient dans sa forme, qui rejette les règles classiques d'unité de lieu et de temps et croise la comédie avec la tragédie, mêlant « le grotesque au sublime » (Hugo, *Préface de Cromwell*). *Hernani* constitue une victoire du romantisme, mais aussi une victoire politique, car pour Hugo et ses alliés, la politique et l'art sont indissociables.

Le plus incontestable succès théâtral revient cependant à Alfred de Musset (1810-1857), considéré comme le plus grand dramaturge du romantisme. Dans *Lorenzaccio* (1834), qu'il écrit à l'âge de 24 ans, Musset applique tous les changements souhaités par les dramaturges romantiques, et même davantage : l'intensité psychologique, la liberté totale à l'égard des théories et des règles, le mélange des genres, sans oublier l'éclat du style.

Lorenzaccio a pour toile de fond la ville de Florence au XVIᵉ siècle. Ce drame historique et psychologique est basé sur un fait réel. Lorenzo de Médicis veut assassiner son cousin, le cruel Alexandre de Médicis, duc de Florence, et libérer par ce geste la ville du despote. Pour réaliser son plan, le héros feint un comportement débauché, mais il finit par se laisser corrompre par le vice. Malheureusement, la mort du tyran n'apporte aucun changement, et Lorenzo finira assassiné à son tour. Musset dresse un parallèle avec la révolution manquée de 1830 et montre la rupture entre l'idéal et la réalité, où toute tentative individuelle de faire changer le cours des choses reste vaine. Dans l'extrait qui suit, Lorenzo dévoile son plan d'assassinat à Philippe Strozzi, un chef républicain qui hait Alexandre.

Alfons Mucha (1860-1939). Affiche de la pièce *Lorenzaccio* d'Alfred de Musset montrant Sara Bernhardt dans le rôle-titre (1834). Musée Pouchkine, Moscou, Russie.

Alfred de Musset (1810-1857)

Lorenzaccio

Acte III, scène 3

LORENZO. — Il est trop tard. Je me suis fait à mon métier.
Le vice a été pour moi un vêtement; maintenant il est
collé à ma peau. Je suis vraiment un ruffian[1], et quand
je plaisante sur mes pareils, je me sens sérieux
5 comme la mort au milieu de ma gaieté. Brutus a fait le fou pour tuer Tarquin[2],
et ce qui m'étonne en lui, c'est qu'il n'y ait pas laissé sa raison. Profite de
moi, Philippe, voilà ce que j'ai à te dire: ne travaille pas pour ta patrie.

PHILIPPE. — Si je te croyais, il me semble que le ciel s'obscurcirait pour toujours, et que ma vieillesse serait condamnée à marcher à tâtons. Que tu aies
10 pris une route dangereuse, cela peut être; pourquoi ne pourrais-je en prendre
une autre qui me mènerait au même point? Mon intention est d'en appeler
au peuple, et d'agir ouvertement.

LORENZO. — Prends garde à toi, Philippe, celui qui te le dit sait pourquoi il le
dit. Prends le chemin que tu voudras, tu auras toujours affaire aux hommes.

15 PHILIPPE. — Je crois à l'honnêteté des républicains.

LORENZO. — Je te fais une gageure. Je vais tuer Alexandre; une fois mon coup
fait, si les républicains se comportent comme ils le doivent, il leur sera facile
d'établir une république, la plus belle qui ait jamais fleuri sur la terre. Qu'ils
aient pour eux le peuple, et tout est dit. Je te gage que ni eux ni le peuple
20 ne feront rien. Tout ce que je te demande, c'est de ne pas t'en mêler; parle,
si tu le veux, mais prends garde à tes paroles, et encore plus à tes actions.
Laisse-moi faire mon coup; tu as les mains pures, et moi, je n'ai rien à perdre.

PHILIPPE. — Fais-le, et tu verras.

LORENZO. — Soit, – mais souviens-toi de ceci. Vois-tu dans cette petite maison
25 cette famille assemblée autour d'une table? ne dirait-on pas des hommes?
Ils ont un corps, et une âme dans ce corps. Cependant, s'il me prenait envie
d'entrer chez eux, tout seul, comme me voilà, et de poignarder leur fils aîné
au milieu d'eux, il n'y aurait pas un couteau de levé sur moi.

PHILIPPE. — Tu me fais horreur. Comment le cœur peut-il rester grand avec
30 des mains comme les tiennes?

[...]

LORENZO. — Tu me demandes cela en face? Regarde-moi un peu. J'ai été beau,
tranquille et vertueux.

---

1.   Débauché.
2.   Il y a ici confusion entre le Brutus qui a chassé Tarquin et celui qui a tué Jules César, son père adoptif.

PHILIPPE. — Quel abîme! quel abîme tu m'ouvres!

LORENZO. — Tu me demandes pourquoi je tue Alexandre? Veux-tu donc que je
35 m'empoisonne, ou que je saute dans l'Arno[1]? veux-tu donc que je sois un
spectre, et qu'en frappant sur ce squelette (*il frappe sa poitrine*), il n'en sorte
aucun son? Si je suis l'ombre de moi-même, veux-tu donc que je rompe le
seul fil qui rattache aujourd'hui mon cœur à quelques fibres de mon cœur
d'autrefois? Songes-tu que ce meurtre, c'est tout ce qui me reste de ma vertu?
40 Songes-tu que je glisse depuis deux ans sur un rocher taillé à pic, et que ce
meurtre est le seul brin d'herbe où j'aie pu cramponner mes ongles? Crois-tu
donc que je n'aie plus d'orgueil, parce que je n'ai plus de honte? et veux-tu
que je laisse mourir en silence l'énigme de ma vie? Oui, cela est certain, si je
pouvais revenir à la vertu, si mon apprentissage du vice pouvait s'évanouir,
45 j'épargnerais peut-être ce conducteur de bœufs. Mais j'aime le vin, le jeu et
les filles; comprends-tu cela? Si tu honores en moi quelque chose, toi qui me
parles, c'est mon meurtre que tu honores, peut-être justement parce que tu ne
le ferais pas. Voilà assez longtemps, vois-tu, que les républicains me couvrent
de boue et d'infamie; voilà assez longtemps que les oreilles me tintent, et que
50 l'exécration des hommes empoisonne le pain que je mâche; [...] J'en ai
assez d'entendre brailler en plein vent le bavardage humain; il faut que le
monde sache un peu qui je suis, et qui il est. Dieu merci, c'est peut-être demain
que je tue Alexandre; dans deux jours j'aurai fini. Ceux qui tournent autour
de moi avec des yeux louches, comme autour d'une curiosité monstrueuse
55 apportée d'Amérique, pourront satisfaire leur gosier et vider leur sac à paroles.
Que les hommes me comprennent ou non, qu'ils agissent ou n'agissent pas,
j'aurai dit tout ce que j'ai à dire; je leur ferai tailler leurs plumes, si je ne leur
fais pas nettoyer leurs piques, et l'humanité gardera sur sa joue le soufflet de
mon épée marqué en traits de sang. Qu'ils m'appellent comme ils voudront,
60 Brutus ou Érostrate[2], il ne me plaît pas qu'ils m'oublient. Ma vie entière est au
bout de ma dague, et que la Providence retourne ou non la tête, en m'entendant frapper, je jette la nature humaine à pile ou face sur la tombe d'Alexandre;
dans deux jours les hommes comparaîtront devant le tribunal de ma volonté.

La pièce *Chatterton* (1835) d'Alfred de Vigny (1797-1863) remporte un véritable triomphe au moment de sa présentation. Ce drame, basé sur la vie de l'écrivain anglais Thomas Chatterton, montre le désarroi d'un aristocrate sans fortune
amoureux de la femme d'un riche industriel et qui éprouve de la difficulté à s'intégrer dans une société qu'il méprise. Chatterton, en proie à un désespoir extrême,
«étouffé par la société matérialiste» comme l'écrit Vigny dans sa préface, finit par
s'enlever la vie.

---

1. Fleuve qui traverse la ville de Florence.
2. Pour se rendre célèbre, Érostrate a brûlé le temple d'Artémis en 351 av. J.-C.

Alfred de Vigny (1797-1863)

Chatterton

Acte III, scène 7

Chatterton, *seul, se promenant*. Allez, mes bons amis.
– Il est bien étonnant que ma destinée change ainsi
tout à coup. J'ai peine à m'y fier; pourtant les apparences y sont. – Je tiens là ma fortune. – Qu'a voulu dire
5   cet homme en parlant de mes ruses? Ah! toujours ce
qu'ils disent tous. Ils ont deviné ce que je leur avouais moi-même, que je suis
l'auteur de mon livre. Finesse grossière! je les reconnais là! Que sera cette
place? quelque emploi de commis? Tant mieux, cela est honorable! Je pour-
rai vivre sans écrire les choses communes qui font vivre. – Le quaker rentrera
10 dans la paix de son âme que j'ai troublée, et elle! Kitty Bell, je ne la tuerai
pas, s'il est vrai que je l'eusse tuée. – Dois-je le croire? J'en doute: ce que
l'on renferme toujours ainsi est peu violent; et, pour être si aimante, son âme
est bien maternelle. N'importe, cela vaut mieux, et je ne la verrai plus. C'est
convenu… autant eût valu me tuer. Un corps est aisé à cacher. – On ne le lui
15 eût pas dit. Le quaker y eût veillé, il pense à tout. Et à présent, pourquoi vivre?
pour qui?… – Pour qu'elle vive, c'est assez… Allons… arrêtez-vous, idées noi-
res, ne revenez pas… Lisons ceci… (*Il lit le journal.*) «Chatterton n'est pas
l'auteur de ses œuvres… Voilà qui est bien prouvé. – Ces poèmes admirables
sont réellement d'un moine nommé Rowley, qui les avait traduits d'un autre
20 moine du dixième siècle, nommé Turgot… Cette imposture, pardonnable à un
écolier, serait criminelle plus tard… Signé… *Bale*…» Bale? Qu'est-ce que cela?
Que lui ai-je fait? – De quel égout sort ce serpent?

Quoi! mon nom est étouffé! ma gloire éteinte! mon honneur perdu! – Voilà le
juge!… le bienfaiteur! Voyons, qu'offre-t-il? (*Il décachète la lettre, lit… et s'écrie*
25 *avec indignation*): Une place de premier valet de chambre dans sa maison!…

Ah! pays damné! terre du
dédain! sois maudite à jamais!
(*Prenant la fiole d'opium.*) Ô
mon âme, je t'avais vendue! je
30 te rachète avec ceci. (*Il boit
l'opium.*) Skirner sera payé! –
Libre de tous! égal à tous,
à présent! – Salut, première
heure de repos que j'aie goû-
35 tée! – Dernière heure de ma
vie, aurore du jour éternel,

Henry Wallis (1830-1916).
Chatterton (1856). Tate,
Londres, Royaume-Uni.

salut! – Adieu, humiliations, haines, sarcasmes, travaux dégradants, incertitudes, angoisses, misères, tortures du cœur, adieu! Oh! quel bonheur, je vous
dis adieu! – Si l'on savait! si l'on savait ce bonheur que j'ai... on n'hésiterait
40 pas si longtemps! (*Ici, après un instant de recueillement durant lequel son
visage prend une expression de béatitude, il joint les mains et poursuit.*) Ô
Mort, ange de délivrance, que ta paix est douce! J'avais bien raison de t'adorer, mais je n'avais pas la force de te conquérir. – Je sais que tes pas seront
lents et sûrs. Regarde-moi, ange sévère, leur ôter à tous la trace de mes pas
45 sur la terre. (*Il jette au feu tous ses papiers.*) Allez, nobles pensées écrites pour
tous ces ingrats dédaigneux, purifiez-vous dans la flamme et remontez au ciel
avec moi! (*Il lève les yeux au ciel, et déchire lentement ses poèmes, dans
l'attitude grave et exaltée d'un homme qui fait un sacrifice solennel.*)

LE ROMAN

La hiérarchie des genres littéraires prend fin avec le romantisme, ce qui permet au
roman d'être enfin considéré comme une œuvre littéraire à part entière. En ce
début de XIXe siècle, le roman est même le genre le plus prisé et sa popularité ne
cesse de croître, favorisée entre autres par le progrès technologique, qui fait diminuer les coûts de production, et par la diffusion des romans dans les journaux
sous forme de feuilletons. Les œuvres de la période romantique représentent deux
tendances majeures: le roman autobiographique et le roman historique. Par
ailleurs, au milieu du flot romantique, un nouveau courant qualifié de «réaliste»
commence déjà à émerger de certaines œuvres.

Le roman autobiographique

Le fort penchant pour l'analyse et l'introspection que l'on retrouve chez la plupart
des écrivains fait naître quantité de romans à caractère autobiographique. L'un des
premiers de ce genre, *René* (1802), va marquer toute la génération romantique.

À la fois homme politique et écrivain, François René, vicomte de Chateaubriand
(1768-1848) est un exemple convaincant du désarroi provoqué par le chaos qui a
suivi la Révolution: monarchiste modéré, il appuie un certain temps Napoléon –
auquel il s'oppose ensuite farouchement –, puis soutient Louis XVIII tout en dif-
fusant des idées libérales qui déplaisent à la monarchie. Ayant fui la Révolution,
Chateaubriand séjourne en Amérique, où il écrit les *Natchez*, dont il ne publiera
que les épisodes d'*Atala* et de *René*, une fiction teintée d'autobiographie.

Le héros éponyme de *René* poursuit sa quête d'absolu à travers des amours
inconstantes qui le laissent insatisfait. Hanté par le «vague des passions», il
s'embarque pour l'Amérique dans l'espoir de trouver dans ce monde exotique un
remède à son mal de vivre. Dans l'extrait qui suit, René raconte ses états d'âme à
ses amis Chactas et le père Souël. Chateaubriand met à profit son style marqué
d'un puissant lyrisme pour faire ressortir la correspondance entre la nature et les
émotions humaines.

François René, vicomte de Chateaubriand (1768-1848)

René

« Mais comment exprimer cette foule de sensations fugi-
tives, que j'éprouvais dans mes promenades ? Les sons
que rendent les passions dans le vide d'un cœur solitaire, ressemblent au murmure que les vents et les eaux
5 font entendre dans le silence d'un désert : on en jouit,
mais on ne peut les peindre.

« L'automne me surprit au milieu de ces incertitudes : j'entrai avec ravissement
dans les mois des tempêtes. Tantôt j'aurais voulu être un de ces guerriers errant
au milieu des vents, des nuages et des fantômes ; tantôt j'enviais jusqu'au
10 sort du pâtre[1] que je voyais réchauffer ses mains à l'humble feu de brous-
sailles qu'il avait allumé au coin d'un bois. J'écoutais ses chants mélanco-
liques, qui me rappelaient que dans tout pays, le chant naturel de l'homme
est triste, lors même qu'il exprime le bonheur. Notre cœur est un instrument
incomplet, une lyre où il manque des cordes, et où nous sommes forcés de
15 rendre les accents de la joie sur le ton consacré aux soupirs.

« Le jour, je m'égarais sur de grandes bruyères[2] terminées par des forêts. Qu'il
fallait peu de chose à ma rêverie : une feuille séchée que le vent chassait
devant moi, une cabane dont la fumée s'élevait dans la cime dépouillée des
arbres, la mousse qui tremblait au souffle du nord sur le tronc d'un chêne,
20 une roche écartée, un étang désert où le jonc flétri murmurait ! Le clocher du
hameau, s'élevant au loin dans la vallée, a souvent attiré mes regards ; souvent j'ai suivi des yeux les oiseaux de passage qui volaient au-dessus de ma
tête. Je me figurais les bords ignorés, les climats lointains où ils se rendent ;
j'aurais voulu être sur leurs ailes. Un secret instinct me tourmentait ; je sen-
25 tais que je n'étais moi-même qu'un voyageur ; mais une voix du ciel semblait
me dire : "Homme, la saison de ta migration n'est pas encore venue ; attends
que le vent de la mort se lève, alors tu déploieras ton vol vers ces régions
inconnues que ton cœur demande."

« Levez-vous vite, orages désirés, qui devez emporter René dans les espaces
30 d'une autre vie ! Ainsi disant, je marchais à grands pas, le visage enflammé,
le vent sifflant dans ma chevelure, ne sentant ni pluie ni frimas, enchanté,
tourmenté, et comme possédé par le démon de mon cœur.

« La nuit, lorsque l'aquilon[3] ébranlait ma chaumière, que les pluies tombaient
en torrent sur mon toit, qu'à travers ma fenêtre je voyais la lune sillonner les
35 nuages amoncelés, comme un pâle vaisseau qui laboure les vagues, il me
semblait que la vie redoublait au fond de mon cœur, que j'aurais la puissance
de créer des mondes.

---

1. Berger.
2. Lieu où poussent de petites plantes à fleurs violettes ou roses.
3. Vent froid et violent.

George Sand (1804-1876) choque la morale bourgeoise en raison de ses nombreuses relations amoureuses et de ses comportements jugés extravagants (elle fume et s'habille en homme). Même s'il est vrai que la « femme à l'œil sombre » des poèmes de Musset a aussi été la maîtresse du compositeur Frédéric Chopin, il reste que, au-delà de sa vie sentimentale mouvementée, celle qui écrit sous un nom d'homme pour réussir à se faire publier se démarque par une œuvre diversifiée et riche. Femme engagée et libérée, féministe avant l'heure, George Sand s'intéresse au rôle de la femme dans une société d'hommes et revendique le droit à la passion pour toutes. Dans son roman *Indiana* (1832), inspiré de sa propre vie, Sand oppose la violence de la passion féminine au conformisme des hommes pour raconter la difficulté d'être femme dans ce monde. Dans l'extrait qui suit, l'auteure décrit le mal de vivre qui ronge Indiana, enchaînée à l'île Bourbon auprès de son mari, le vieux colonel Delmare.

ŒUVRE

George Sand (1804-1876)

Indiana

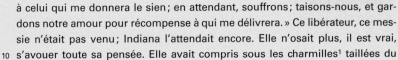

Élevée au désert, négligée de son père, vivant au milieu des esclaves, pour qui elle n'avait d'autre secours, d'autre consolation que sa compassion et ses larmes, elle s'était habituée à dire: «Un jour viendra où tout
5 sera changé dans ma vie, où je ferai du bien aux autres; un jour où l'on m'aimera, où je donnerai tout mon cœur à celui qui me donnera le sien; en attendant, souffrons; taisons-nous, et gardons notre amour pour récompense à qui me délivrera.» Ce libérateur, ce messie n'était pas venu; Indiana l'attendait encore. Elle n'osait plus, il est vrai,
10 s'avouer toute sa pensée. Elle avait compris sous les charmilles[1] taillées du Lagny que la pensée même devait avoir là plus d'entraves que sous les palmistes sauvages de l'île Bourbon; et, lorsqu'elle se surprenait à dire encore par l'habitude: «Un jour viendra… un homme viendra… », elle refoulait ce vœu téméraire au fond de son âme, et se disait: «Il faudra donc mourir!»

15 Aussi elle se mourait. Un mal inconnu dévorait sa jeunesse. Elle était sans force et sans sommeil. Les médecins lui cherchaient en vain une désorganisation apparente, il n'en existait pas; toutes ses facultés s'appauvrissaient également, tous ses organes se lésaient avec lenteur; son cœur brûlait à petit feu, ses yeux s'éteignaient, son sang ne circulait plus que par crise et par fièvre; encore quelque
20 temps, et la pauvre captive allait mourir. Mais, quelle que fût sa résignation ou son découragement, le besoin restait le même. Ce cœur silencieux et brisé appelait toujours à son insu un cœur jeune et généreux pour le ranimer. L'être qu'elle avait le plus aimé jusque-là, c'était Noun, la compagne enjouée et courageuse de ses ennuis; et l'homme qui lui avait témoigné le plus de prédilec-
25 tion, c'était son flegmatique cousin sir Ralph. Quels aliments pour la dévorante activité de ses pensées, qu'une pauvre fille ignorante et délaissée comme elle, et un Anglais passionné seulement pour la chasse du renard!

---

1. Allée bordée d'arbres taillés en berceau.

Madame Delmare était vraiment malheureuse, et, la première fois qu'elle sentit dans son atmosphère glacée pénétrer le souffle embrasé d'un homme jeune
30 et ardent, la première fois qu'une parole tendre et caressante enivra son
oreille, et qu'une bouche frémissante vint comme un fer rouge marquer sa
main, elle ne pensa ni aux devoirs qu'on lui avait imposés, ni à la prudence
qu'on lui avait recommandée, ni à l'avenir qu'on lui avait prédit; elle ne se
rappela que le passé odieux, ses longues souffrances, ses maîtres despo-
35 tiques. Elle ne pensa pas non plus que cet homme pouvait être menteur ou
frivole. Elle le vit comme elle le désirait, comme elle l'avait rêvé, et Raymon
eût pu la tromper, s'il n'eût pas été sincère.

Mais comment ne l'eût-il pas été auprès d'une femme si belle et si aimante ?
Quelle autre s'était jamais montrée à lui avec autant de candeur et d'inno-
40 cence ? Chez qui avait-il trouvé à placer un avenir si riant et si sûr ? N'était-elle
pas née pour l'aimer, cette femme esclave qui n'attendait qu'un signe pour
briser sa chaîne, qu'un mot pour le suivre ? Le ciel, sans doute, l'avait formée
pour Raymon, cette triste enfant de l'île Bourbon, que personne n'avait aimée,
et qui sans lui devait mourir.

45 Néanmoins un sentiment d'effroi succéda, dans le cœur de madame Delmare,
à ce bonheur fiévreux qui venait de l'envahir. Elle songea à son époux si ombra-
geux, si clairvoyant, si vindicatif, et elle eut peur, non pour elle qui était aguer-
rie aux menaces, mais pour l'homme qui allait entreprendre une guerre à mort
avec son tyran. Elle connaissait si peu la société, qu'elle se faisait de la vie
50 un roman tragique; timide créature qui n'osait aimer, dans la crainte d'expo-
ser son amant à périr, elle ne songeait nullement au danger de se perdre.

Le roman historique

Au début du siècle, l'écrivain écossais Walter Scott innove et séduit avec ses épopées
gothiques qui font voyager le lecteur dans des mondes révolus. Ses romans *Ivanhoé*
(1819) et *Quentin Durward* (1823) ont une grande influence sur les romanciers
français, dont Hugo, Dumas et Balzac. La grande nouveauté du roman historique
tient surtout au fait que celui-ci parvient à faire le lien entre l'histoire collective
et le destin individuel. De son côté, Victor Hugo (1802-1885) va encore plus loin
en ajoutant au roman historique une dimension politique et sociale. Les héros
romantiques de Hugo portent l'humanité sur leurs épaules; ils sont le peuple et leur
souffrance est celle de tous. Ainsi, dans *Notre-Dame de Paris* (1831), que l'auteur
situe au Moyen Âge, les personnages de Quasimodo et d'Esmeralda illustrent le
destin misérable du peuple. Dans l'extrait qui suit, conformément à sa volonté de
réunir le grotesque et le sublime, Hugo décrit le lien pour ainsi dire biologique

qui unit Quasimodo, l'humble sonneur de cloches difforme – et dont la laideur n'a d'égale que sa grandeur d'âme –, à la cathédrale Notre-Dame, symbole de perfection artistique et de la puissance de l'Église.

Victor Hugo (1802-1885)

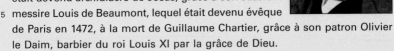

Notre-Dame de Paris – Livre quatrième, III

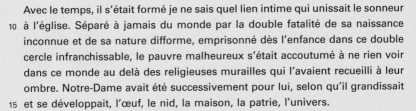

Or, en 1482, Quasimodo avait grandi. Il était devenu, depuis plusieurs années, sonneur de cloches de Notre-Dame, grâce à son père adoptif Claude Frollo, lequel était devenu archidiacre de Josas, grâce à son suzerain
5 messire Louis de Beaumont, lequel était devenu évêque de Paris en 1472, à la mort de Guillaume Chartier, grâce à son patron Olivier le Daim, barbier du roi Louis XI par la grâce de Dieu.

Quasimodo était donc carillonneur de Notre-Dame.

Avec le temps, il s'était formé je ne sais quel lien intime qui unissait le sonneur
10 à l'église. Séparé à jamais du monde par la double fatalité de sa naissance inconnue et de sa nature difforme, emprisonné dès l'enfance dans ce double cercle infranchissable, le pauvre malheureux s'était accoutumé à ne rien voir dans ce monde au delà des religieuses murailles qui l'avaient recueilli à leur ombre. Notre-Dame avait été successivement pour lui, selon qu'il grandissait
15 et se développait, l'œuf, le nid, la maison, la patrie, l'univers.

Et il est sûr qu'il y avait une sorte d'harmonie mystérieuse et préexistante entre cette créature et cet édifice. Lorsque, tout petit encore, il se traînait tortueusement et par soubresauts sous les ténèbres de ses voûtes, il semblait, avec sa face humaine et sa membrure bestiale, le reptile naturel de cette dalle
20 humide et sombre sur laquelle l'ombre des chapiteaux romans projetait tant de formes bizarres.

Plus tard, la première fois qu'il s'accrocha machinalement à la corde des tours, et qu'il s'y pendit, et qu'il mit la cloche en branle, cela fit à Claude, son père adoptif, l'effet d'un enfant dont la langue se délie et qui commence à parler.

25 C'est ainsi que peu à peu, se développant toujours dans le sens de la cathédrale, y vivant, y dormant, n'en sortant presque jamais, en subissant à toute heure la pression mystérieuse, il arriva à lui ressembler, à s'y incruster, pour ainsi dire, à en faire partie intégrante. Ses angles saillants s'emboîtaient, qu'on nous passe cette figure, aux angles rentrants de l'édifice, et il en semblait,
30 non seulement l'habitant, mais encore le contenu naturel. On pourrait presque dire qu'il en avait pris la forme, comme le colimaçon prend la forme de sa coquille. C'était sa demeure, son trou, son enveloppe. Il y avait entre la vieille église et lui une sympathie instinctive si profonde, tant d'affinités magnétiques, tant d'affinités matérielles, qu'il y adhérait en quelque sorte comme la
35 tortue à son écaille. La rugueuse cathédrale était sa carapace.

Écrivain polyvalent et extrêmement prolifique (il a publié 80 romans), Alexandre Dumas père (1802-1870) est aussi connu pour avoir traduit les œuvres de Walter Scott. L'immense succès populaire de Dumas est surtout dû à ses romans aux intrigues passionnantes et riches en rebondissements, dont la plupart sont publiés en feuilletons dans les journaux. Le « phénomène » Dumas illustre bien le rôle joué par la presse à l'époque, alors que les lecteurs attendaient impatiemment le prochain numéro pour découvrir un nouvel épisode du roman. *Les trois mousquetaires* (1844) est sans doute l'une des œuvres les plus populaires d'Alexandre Dumas. Situé au début du XVIIe siècle, ce roman de cape et d'épée relate les aventures des mousquetaires du roi dans leur lutte pour déjouer les manœuvres du cardinal de Richelieu. Dumas prend toutefois certaines libertés avec la réalité historique. Loin de s'en cacher, il écrira même : « L'histoire est le clou auquel j'accroche mes romans. »

Alexandre Dumas père (1802-1870)

Les trois mousquetaires
I – Les trois présents de M. d'Artagnan père

Un jeune homme... – traçons son portrait d'un seul trait de plume : figurez-vous don Quichotte à dix-huit ans, don Quichotte décorcelé, sans haubert et sans cuissards, don Quichotte revêtu d'un pourpoint de laine dont la couleur
5 bleue s'était transformée en une nuance insaisissable de lie-de-vin et d'azur céleste. Visage long et brun ; la pommette des joues saillante, signe d'astuce ; les muscles maxillaires énormément développés, indice infaillible auquel on reconnaît le Gascon, même sans béret, et notre jeune homme portait un béret orné d'une espèce de plume ; l'œil ouvert et intelligent ; le nez crochu, mais fine-
10 ment dessiné ; trop grand pour un adolescent, trop petit pour un homme fait, et qu'un œil peu exercé eût pris pour un fils de fermier en voyage, sans sa longue épée qui, pendue à un baudrier[1] de peau, battait les mollets de son propriétaire quand il était à pied, et le poil hérissé de sa monture quand il était à cheval.

Car notre jeune homme avait une monture, et cette monture était même si
15 remarquable, qu'elle fut remarquée : c'était un bidet[2] du Béarn, âgé de douze ou quatorze ans, jaune de robe, sans crins à la queue, mais non pas sans javarts[3] aux jambes, et qui, tout en marchant la tête plus bas que les genoux, ce qui rendait inutile l'application de la martingale[4], faisait encore également ses huit lieues[5] par jour. Malheureusement les qualités de ce cheval étaient
20 si bien cachées sous son poil étrange et son allure incongrue, que dans un temps où tout le monde se connaissait en chevaux, l'apparition du susdit bidet à Meung, où il était entré il y avait un quart d'heure à peu près par la porte de Beaugency, produisit une sensation dont la défaveur rejaillit jusqu'à son cavalier.

---

1. Bande de cuir soutenant une arme.
2. Expression familière pour désigner le cheval.
3. Tumeurs au bas des pattes du cheval.
4. Courroie du harnachement du cheval qui relie la sangle à la muserolle.
5. Ancienne unité de distance qui correspond à peu près à cinq kilomètres.

Et cette sensation avait été d'autant plus pénible au jeune d'Artagnan (ainsi
25 s'appelait le don Quichotte de cette autre Rossinante), qu'il ne se cachait pas le
côté ridicule que lui donnait, si bon cavalier qu'il fût, une pareille monture; aussi
avait-il fort soupiré en acceptant le don que lui en avait fait M. d'Artagnan père.
Il n'ignorait pas qu'une pareille bête valait au moins vingt livres; il est vrai que
les paroles dont le présent avait été accompagné n'avaient pas de prix. [...]

30 Le même jour le jeune homme se mit en route, muni des trois présents pater-
nels et qui se composaient, comme nous l'avons dit, de quinze écus, du cheval
et de la lettre pour M. de Tréville; comme on le pense bien, les conseils avaient
été donnés par-dessus le marché.

Avec un pareil vade-mecum[1], d'Artagnan se trouva, au moral comme au phy-
35 sique, une copie exacte du héros de Cervantes, auquel nous l'avons si heureu-
sement comparé lorsque nos devoirs d'historien nous ont fait une nécessité
de tracer son portrait. Don Quichotte prenait les moulins à vent pour des géants
et les moutons pour des armées, d'Artagnan prit chaque sourire pour une
insulte et chaque regard pour une provocation. Il en résulta qu'il eut toujours
40 le poing fermé depuis Tarbes jusqu'à Meung, et que l'un dans l'autre il porta
la main au pommeau de son épée dix fois par jour; toutefois le poing ne des-
cendit sur aucune mâchoire, et l'épée ne sortit point de son fourreau. Ce n'est
pas que la vue du malencontreux bidet jaune n'épanouît bien des sourires
sur les visages des passants; mais, comme au-dessus du bidet sonnait une
45 épée de taille respectable et qu'au-dessus de cette épée brillait un œil plutôt
féroce que fier, les passants réprimaient leur hilarité, ou, si l'hilarité l'emportait
sur la prudence, ils tâchaient au moins de ne rire que d'un seul côté, comme
les masques antiques. D'Artagnan demeura donc majestueux et intact dans
sa susceptibilité jusqu'à cette malheureuse ville de Meung.

Le roman social

Les revendications politiques et sociales des romantiques sont avant tout portées par
leurs œuvres. Le romancier engagé se fait un devoir de mettre son talent au service du peuple et de donner une voix aux plus démunis. Victor Hugo (1802-1885)
est l'un des premiers écrivains à recourir à l'argot et aux patois populaires[2] dans le
dessein de combattre l'injustice sociale. «L'argot est la langue de la misère», écrit-il.
Dans *Le dernier jour d'un condamné* (1829), l'auteur porte un regard compatissant
sur le sort réservé aux prisonniers. Dans ce roman, construit comme un **monologue** (une première en littérature), Hugo donne la parole au prisonnier pour
mieux faire entendre ses revendications contre la peine de mort.

1. Ce que l'on apporte avec soi.
2. Après la Révolution, les patois et les dialectes sont perçus comme une menace, car ils rappellent
   trop l'époque de l'Ancien Régime. Une vaste enquête est alors entreprise afin d'évaluer la situation
   linguistique en France. Les résultats compilés par l'abbé Grégoire en 1790 et 1791 révèlent que, sur
   une population de 25 millions de personnes, 6 millions de Français ignorent la langue nationale;
   6 millions ne peuvent soutenir une conversation en français; et à peine 3 millions parlent
   français correctement. Devant ce constat alarmant, l'État énonce une politique visant l'éradication
   des dialectes et des patois dans le but de favoriser l'unité nationale.

Victor Hugo (1802-1885)

Le dernier jour d'un condamné
Chapitre VI

Je me suis dit:

— Puisque j'ai le moyen d'écrire, pourquoi ne le ferais-je pas? Mais quoi écrire? Pris entre quatre murailles de pierre nue et froide, sans liberté pour mes pas, sans
5   horizon pour mes yeux, pour unique distraction machinalement occupé tout le jour à suivre la marche lente de ce carré blanchâtre que le judas de ma porte découpe vis-à-vis sur le mur sombre, et, comme je le disais tout à l'heure, seul à seul avec une idée, une idée de crime et de châtiment, de meurtre et de mort! est-ce que je puis avoir quelque chose à dire, moi qui n'ai plus rien
10   à faire dans ce monde? Et que trouverai-je dans ce cerveau flétri et vide qui vaille la peine d'être écrit?

Pourquoi non? Si tout, autour de moi, est monotone et décoloré, n'y a-t-il pas en moi une tempête, une lutte, une tragédie? Cette idée fixe qui me possède ne se présente-t-elle pas à moi à chaque heure, à chaque instant, sous une
15   nouvelle forme, toujours plus hideuse et plus ensanglantée à mesure que le terme approche? Pourquoi n'essaierais-je pas de me dire à moi-même tout ce que j'éprouve de violent et d'inconnu dans la situation abandonnée où me voilà? Certes, la matière est riche; et, si abrégée que soit ma vie, il y aura bien encore dans les angoisses, dans les terreurs, dans les tortures qui la rem-
20   pliront, de cette heure à la dernière, de quoi user cette plume et tarir cet encrier. – D'ailleurs ces angoisses, le seul moyen d'en moins souffrir, c'est de les observer, et les peindre m'en distraira.

Et puis, ce que j'écrirai ainsi ne sera peut-être pas inutile. Ce journal de mes souffrances, heure par heure, minute par minute, supplice par supplice, si j'ai
25   la force de le mener jusqu'au moment où il me sera *physiquement* impos- sible de continuer, cette histoire, nécessairement inachevée, mais aussi com- plète que possible, de mes sensations, ne portera-t-elle point avec elle un grand et profond enseignement? N'y aurait-il pas dans ce procès-verbal de la pensée agonisante, dans cette progression toujours croissante de douleurs,
30   dans cette espèce d'autopsie intellectuelle d'un condamné, plus d'une leçon pour ceux qui condamnent? Peut-être cette lecture leur rendra-t-elle la main moins légère, quand il s'agira quelque autre fois de jeter une tête qui pense, une tête d'homme, dans ce qu'ils appellent la balance de la justice? Peut-être n'ont-ils jamais réfléchi, les malheureux, à cette lente succession de tortures
35   que renferme la formule expéditive d'un arrêt de mort? Se sont-ils jamais seulement arrêtés à cette idée poignante que dans l'homme qu'ils retranchent il y a une intelligence, une intelligence qui avait compté sur la vie, une âme qui ne s'est point disposée pour la mort? Non. Ils ne voient dans tout cela que la chute verticale d'un couteau triangulaire, et pensent sans doute que
40   pour le condamné il n'y a rien avant, rien après.

Ces feuilles les détromperont. Publiées peut-être un jour, elles arrêteront quelques moments leur esprit sur les souffrances de l'esprit; car ce sont celles-là qu'ils ne soupçonnent pas. Ils sont triomphants de pouvoir tuer sans presque faire souffrir le corps. Hé! c'est bien de cela qu'il s'agit! Qu'est-ce
45 que la douleur physique près de la douleur morale! Horreur et pitié, des lois faites ainsi! Un jour viendra, et peut-être ces mémoires, derniers confidents d'un misérable, y auront-ils contribué...

À moins qu'après ma mort le vent ne joue dans le préau avec ces morceaux de papier souillés de boue, ou qu'ils n'aillent pourrir à la pluie, collés en étoiles
50 à la vitre cassée d'un guichetier.

Paul Delaroche (1797-1856). *The Execution of Lady Jane Grey* (1833).
National Gallery, Londres, Royaume-Uni.

Les débuts du roman réaliste

Les romans intimistes du début du siècle font place à des œuvres qui ont pour objectif de traduire plus fidèlement la réalité, notamment en s'appuyant sur l'histoire et en évacuant la sensibilité jugée excessive qui imprègne les œuvres romantiques. Stendhal et Balzac sont souvent perçus comme les précurseurs de cette nouvelle esthétique réaliste.

Henri Beyle, dit Stendhal (1783-1842), se sert de l'écriture à la fois pour exprimer sa sensibilité et pour dresser un portrait réaliste de la société de son époque. Ses romans, dont la plupart sont des fictions autobiographiques, mettent en scène des héros en quête de bonheur et d'amour. Développant le thème de l'ascension sociale sous la Restauration, son roman *Le rouge et le noir* (1830) montre le combat de Julien Sorel, fils de paysan, contre l'ordre établi. À travers le drame du héros pris entre ses passions et ses ambitions, Stendhal dénonce une société mesquine qui ne fait aucune place aux individus d'humble condition.

Stendhal (1783-1842)

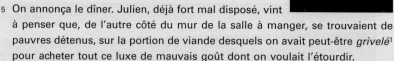

Le rouge et le noir – Livre premier, XXII

Le percepteur des contributions, l'homme des imposi-
tions indirectes, l'officier de gendarmerie et deux ou
trois autres fonctionnaires publics arrivèrent avec leurs
femmes. Ils furent suivis de quelques libéraux riches.
5 On annonça le dîner. Julien, déjà fort mal disposé, vint
à penser que, de l'autre côté du mur de la salle à manger, se trouvaient de
pauvres détenus, sur la portion de viande desquels on avait peut-être grivelé[1]
pour acheter tout ce luxe de mauvais goût dont on voulait l'étourdir.

Ils ont faim peut-être en ce moment, se dit-il à lui-même; sa gorge se serra,
10 il lui fut impossible de manger et presque de parler. Ce fut bien pis un quart
d'heure après; on entendait de loin en loin quelques accents d'une chanson
populaire, et, il faut l'avouer, un peu ignoble, que chantait l'un des reclus.
M. Valenod regarda un de ses gens en grande livrée, qui disparut, et bientôt
on n'entendit plus chanter. Dans ce moment, un valet offrait à Julien du vin
15 du Rhin, dans un verre vert, et Mme Valenod avait soin de lui faire observer
que ce vin coûtait neuf francs la bouteille pris sur place. Julien, tenant son
verre vert, dit à M. Valenod:

— On ne chante plus cette vilaine chanson.

— Parbleu! je le crois bien, répondit le directeur triomphant, j'ai fait imposer
20 silence aux gueux.

Ce mot fut trop fort pour Julien; il avait les manières, mais non pas encore
le cœur de son état. Malgré toute son hypocrisie si souvent exercée, il sentit
une grosse larme couler le long de sa joue.

Il essaya de la cacher avec le verre vert, mais il lui fut absolument impossible
25 de faire honneur au vin du Rhin. *L'empêcher de chanter!* se disait-il à lui-même,
ô mon Dieu! et tu le souffres!

Par bonheur, personne ne remarqua son attendrissement de mauvais ton. Le
percepteur des contributions avait entonné une chanson royaliste. Pendant
le tapage du refrain, chanté en chœur: Voilà donc, se disait la conscience de
30 Julien, la sale fortune à laquelle tu parviendras, et tu n'en jouiras qu'à cette
condition et en pareille compagnie! Tu auras peut-être une place de vingt mille
francs, mais il faudra que, pendant que tu te gorges de viandes, tu empêches
de chanter le pauvre prisonnier; tu donneras à dîner avec l'argent que tu auras

---

1. Escroqué, tiré profit.

35 volé sur sa misérable pitance, et pendant ton dîner il sera encore plus malheureux ! – Ô Napoléon ! qu'il était doux de ton temps de monter à la fortune par
les dangers d'une bataille ; mais augmenter lâchement la douleur du misérable !

J'avoue que la faiblesse dont Julien fait preuve dans ce monologue me donne
une pauvre opinion de lui. Il serait digne d'être le collègue de ces conspira-
teurs en gants jaunes, qui prétendent changer toute la manière d'être d'un
40 grand pays, et ne veulent pas avoir à se reprocher la plus petite égratignure.

Honoré de Balzac (1799-1850) est un des romanciers les plus importants du
XIXᵉ siècle. À travers son œuvre, qu'il a rassemblée sous le titre général de *La comédie humaine*, Balzac se propose de brosser un portrait de la France qui englobe tous les
aspects de la société de son époque (politique, histoire, classes sociales, morale, religion, philosophie, etc.). Cette gigantesque mosaïque comprend 95 romans et nouvelles, sans compter les 48 autres ouvrages ébauchés ou prévus. Balzac poursuit
inlassablement son ambition de montrer la réalité sociale dans toute sa complexité,
car il est convaincu qu'en exposant les travers de l'humanité il aidera celle-ci à
s'améliorer.

Le père Goriot (1834-1835), qui s'intègre dans le groupe des œuvres qualifiées
d'études de mœurs (les deux autres étant les études philosophiques et les études
analytiques), met en scène Jean-Joachim Goriot, un négociant qui s'est retiré après
avoir richement marié ses deux filles. Celles-ci abusent de la générosité de leur
père afin de satisfaire leur goût excessif pour le luxe. L'obsession du père Goriot
pour le bonheur de ses filles ingrates lui fera tout sacrifier pour elles. Abandonné
par sa famille, il finira ses jours dans le plus grand dénuement. Dans l'extrait suivant, le père Goriot explique les débordements de son amour paternel à Eugène
de Rastignac.

ŒUVRE — Honoré de Balzac (1799-1850)

Le père Goriot

— Oui, dit Eugène. Mais, monsieur Goriot, comment,
en ayant des filles aussi richement établies que sont les
vôtres, pouvez-vous demeurer dans un taudis pareil ?

— Ma foi, dit-il d'un air en apparence insouciant, à quoi cela me servirait-il
5 d'être mieux ? Je ne puis guère vous expliquer ces choses-là ; je ne sais pas
dire deux paroles de suite comme il faut. Tout est là, ajouta-t-il en se frappant
le cœur. Ma vie, à moi, est dans mes deux filles. Si elles s'amusent, si elles
sont heureuses, bravement mises, si elles marchent sur des tapis, qu'importe
de quel drap je sois vêtu, et comment est l'endroit où je me couche ? Je n'ai
10 point froid si elles ont chaud, je ne m'ennuie jamais si elles rient. Je n'ai de
chagrins que les leurs. Quand vous serez père, quand vous vous direz, en

voyant gazouiller vos enfants : « C'est sorti de moi ! », que vous sentirez ces petites créatures tenir à chaque goutte de votre sang, dont elles ont été la fine fleur, car c'est ça ! vous vous croirez attaché à leur peau, vous croirez être
15 agité vous-même par leur marche. Leur voix me répond partout. Un regard d'elles, quand il est triste, me fige le sang. Un jour vous saurez que l'on est bien plus heureux de leur bonheur que du sien propre. Je ne peux pas vous expliquer ça : c'est des mouvements intérieurs qui répandent l'aise partout. Enfin, je vis trois fois. Voulez-vous que je vous dise une drôle de chose ? Eh
20 bien ! quand j'ai été père, j'ai compris Dieu. Il est tout entier partout, puisque la création est sortie de lui. Monsieur, je suis ainsi avec mes filles. Seulement j'aime mieux mes filles que Dieu n'aime le monde, parce que le monde n'est pas si beau que Dieu, et que mes filles sont plus belles que moi.

Le romantisme a permis aux artistes d'acquérir une liberté de création sans précédent. D'un courant de revendications où l'on cherchait à se démarquer du classicisme tout en se posant comme la voix du peuple, on en arrive à une conception de l'art plus autonome et personnelle. Après 1848, les artistes, dans leurs préfaces et leurs divers débats, vont théoriser abondamment sur leur rôle et celui de l'art, sans pour autant nier les acquis de la révolution romantique. Désormais, l'artiste s'appuie sur les sciences (le réalisme et le naturalisme), met son art au service de l'art (le Parnasse) ou cherche à explorer l'invisible et les sensations (le symbolisme) : les prémisses d'une modernité littéraire sont posées.

SYNTHÈSE Le romantisme

Les innovations linguistiques

Après la Révolution, l'État entreprend une vaste campagne d'éradication de tous les patois et dialectes, car il veut favoriser l'unité nationale en faisant du français la seule langue de France. Avec la création des lycées, le français s'impose pour tous ceux qui veulent s'élever dans la société.

Les courants de pensée

Le romantisme est un ensemble de tendances artistiques qui visent à libérer l'art des contraintes associées au classicisme et à explorer la dimension de l'absolu.

Sur le plan littéraire, le romantisme s'éloigne du rationalisme propre à l'esthétique classique au profit d'une plus grande subjectivité où les sentiments dominent la raison. Ce courant se distingue aussi par un intérêt marqué pour l'introspection, qui s'appuie sur des thèmes tels que la nature, le rêve et l'exotisme, ainsi que par l'engagement politique et social de certains poètes.

Glossaire

Allégorie : Représentation d'une idée abstraite par une image littéraire détaillée. 29

Anagramme : Mot obtenu par la modification de l'ordre des lettres d'un autre mot. 46

Assonance : Répétition en fin de vers de la même voyelle accentuée. 12

Ballade : Poème formé de trois strophes égales et qui se termine par une strophe plus courte. 50

Blason : Jeu littéraire qui consiste à décrire un élément très précis tel qu'un objet ou une partie du corps. Souvent écrit en octosyllabes ou en décasyllabes, le blason est construit comme si l'auteur s'adressait à l'objet en question (apostrophe). 50

Branche : Nom que l'on donne aux différentes divisions du *Roman de Renart*. 20

Cadence : Phrase musicale qui signale la fin de la laisse dans une chanson de geste. 12

Chanson de geste : Récit épique apparu au XIIe siècle, qui dépeint des personnages héroïques ayant plutôt vécu au VIIIe et au IXe siècle. La chanson de geste exalte les vertus et les exploits des chevaliers – notamment ceux de l'empereur Charlemagne et de ses preux – et transforme les personnages historiques en héros légendaires. 10

Chant royal : Composition qui a pour objet la monarchie. 50

Comédie : Pièce destinée à faire rire, qui dépeint les travers des mœurs et des caractères de la société. 58

Commedia dell'arte : Comédie à l'italienne où les acteurs, pour la plupart masqués, improvisent à partir d'un canevas et misent sur leur gestuelle emphatique pour divertir le public. D'une pièce à l'autre, on retrouve les mêmes personnages fortement typés : le vieux libidineux qui convoite la jeune femme, les vieillards, les valets, les soldats, sans oublier le couple d'amoureux ingénus. 58

Conte : Récit d'aventures imaginaires. 47

Dit : Écrit racontant des expériences propres à la vie de son auteur, en vogue surtout dans la seconde moitié du XIIIe siècle ; par sa forme souvent humoristique, le dit s'écarte de la tradition courtoise. 17

Drame : Pièce de théâtre écrite en vers ou en prose qui traite d'un sujet tragique ou pathétique accompagné d'éléments réalistes, familiers ou comiques. 130

Épigramme : Texte poétique satirique. 50

Épistolaire : Qualifie un texte qui se rapporte à la correspondance par lettres. 70

Épître : Lettre écrite en vers. 50

Épopée : Récit qui relate les exploits de héros en faisant intervenir des éléments merveilleux. 12

Euphémisme : Atténuation d'une expression jugée trop choquante. 71

Fable : Petit récit en vers qui vise à communiquer un enseignement moral et philosophique. Issue des cultures gréco-latine et orientale, la fable renaît à l'époque classique. 88

Fabliau : Petit conte écrit en vers, datant du XIIIe siècle, et dont le but premier est de faire rire. La majorité des fabliaux sont écrits en octosyllabes et sont assez courts. Ils se caractérisent aussi par leur plan simple et prévisible ainsi que par les situations et les personnages typés. 10

Farce : Comédie s'inspirant de la tradition des jongleurs et mettant en scène des personnages fortement typés. On y exploite les travers des gens et les abus de toutes sortes. L'effet comique repose en partie sur les retournements de situation. 23

Hagiographie : Écrit liturgique, spirituel ou qui relate la vie d'un saint. L'hagiographie propose une morale et un enseignement religieux et s'accompagne souvent d'un calendrier rappelant aux fidèles leurs devoirs de piété. 11

Hymne : Chant ou poème lyrique qui célèbre un être ou une chose. 56

Hyperbole : Figure de style consistant à exagérer une expression. 71

Ironie : Figure de style qui consiste à dire le contraire de ce que l'on pense. 109

Laisse : Couplet autonome dans une chanson de geste. 12

Litote : Figure de style qui consiste à utiliser une expression qui dit moins pour exprimer plus. 71

Manifeste : Déclaration publique où sont exposés les objectifs et les principes d'un individu ou d'un groupe. 54

Métaphore : Procédé littéraire par lequel on évoque des choses abstraites en utilisant des images concrètes. 71

Monologue : Dans une pièce de théâtre, scène où un personnage est seul à parler. 151

Motet : Chant liturgique à plusieurs voix. 15

Mystère : Genre théâtral d'origine médiévale qui met en scène des sujets religieux. 58

Narrateur : Personne qui raconte l'histoire. 75

Nouvelle : Genre importé d'Italie, qui se rapproche du fabliau par sa thématique et qui est construit suivant un protocole dans lequel chacun des narrateurs rassemblés en un lieu raconte à tour de rôle une histoire. 42

Pamphlet : Texte satirique ou virulent. 103

Parodie : Imitation volontaire dans le but de faire rire. 18

Périphrase : Recours à plusieurs mots pour exprimer ce qui aurait pu l'être en un seul. 71

Poésie lyrique : Poésie chantée, accompagnée à la lyre. 10

Prose : Manière d'écrire qui n'est soumise à aucune règle de versification. 42

Rime : Répétition d'un même son à la fin de deux vers. 15

Roman épistolaire : Roman écrit par lettres interposées. 109

Rondeau : Poème de forme fixe, sur deux rimes avec des vers répétés. 15

Satire : Écrit consistant à se moquer avec virulence de quelqu'un ou de quelque chose. 18

Soliloque : Discours d'un personnage de théâtre qui s'adresse à lui-même. 71

Sonnet : Poème à forme fixe composé de deux quatrains et de deux tercets. 50

Sottie : Pièce satirique, parfois inspirée de l'actualité politique. Certaines sotties sont composées par des étudiants qui s'amusent aux dépens des institutions juridiques, religieuses ou politiques. 23

Tragédie : Œuvre dramatique en vers qui relate les aventures d'un personnage héroïque qui connaît un destin exceptionnel et malheureux. 77

Vers : Assemblage de mots mesuré et cadencé selon certaines règles et constituant une unité rythmique. (L'octosyllabe est un vers de huit syllabes, le décasyllabe, un vers de dix syllabes, l'alexandrin, un vers de douze syllabes.) 12

Bibliographie

ALEWYN, Richard. *L'univers du baroque*, trad. par Danièle Bohler, coll. « Médiations », Paris, Éditions Gonthier, 1959.

BALMAS, Enea, et Yves GIRAUD. *De Villon à Ronsard*, coll. « Histoire de la littérature française », Paris, Flammarion, 1997.

BÉNICHOU, Paul. *Morales du Grand Siècle*, coll. « Bibliothèque des idées », Paris, Gallimard, 1948.

CASTEX, Pierre-Georges, et Paul SURER. *Moyen Âge au XIXe siècle*, coll. « Manuel des études littéraires françaises », Paris, Hachette, 1946 (5 vol.).

CROIX, Alain, et Jean QUÉNIART. *De la Renaissance à l'aube des Lumières. Histoire culturelle de la France – 2*, coll. « Points/Histoire », Paris, Seuil, 2005.

DARCOS, Xavier. *Histoire de la littérature française*, coll. « Éducation », Paris, Hachette, 1992.

DE BAECQUE, Antoine, et Françoise MÉLONIO. *Lumières et liberté. Histoire culturelle de la France – 3*, coll. « Points/Histoire », 2005.

DELON, Michel, et autres. *De l'*Encyclopédie *aux* Méditations, coll. « Histoire de la littérature française », Paris, Flammarion, 1998.

ECO, Umberto. *Art et beauté dans l'esthétique médiévale*, trad. par Maurice Javion, coll. « Le livre de poche », Paris, Grasset et Fasquelle, 1997.

FUMAROLI, Marc. *Trois institutions littéraires*, coll. « Folio/Histoire », Paris, Gallimard, 1994.

GAUVIN, Lise. *La fabrique de la langue. De François Rabelais à Réjean Ducharme*, coll. « Points/essais », Paris, Seuil, 2004.

HORVILLE, Robert. *Histoire de la littérature en France au XVIIe siècle*, coll. « Profil formation », Paris, Hatier, 1985.

LAGARDE, André, et Laurent MICHARD. *Moyen Âge au XIXe siècle*, coll. «Textes et littérature», Paris, Bordas, 1963 (5 vol.).

MILNER, Max, et Claude PICHOIS. *De Chateaubriand à Beaudelaire*, coll. « Histoire de la littérature française », Paris, Flammarion, 1996.

MORÇAY, Raoul, et Armand MÜLLER. *La Renaissance*, coll. « Histoire de la littérature française », Paris, Éditions Mondiales – Del Duca, 1960.

MOREL, Jacques. *De Montaigne à Corneille*, coll. « Histoire de la littérature française », Paris, Flammarion, 1997.

PAYEN, Jean Charles. *Le Moyen Âge*, coll. « Histoire de la littérature française », Paris, Flammarion, 1997.

POMEAU, René, et Jean EHRARD. *De Fénélon à Voltaire*, coll. « Histoire de la littérature française », Paris, Flammarion, 1998.

QUENEAU, Raymond (dir.). *Histoire des littératures. III. Littératures françaises, connexes et marginales*, coll. « Encyclopédie de la Pléiade », Paris, Gallimard, 1958.

ROUSSET, Jean. *La littérature de l'âge baroque en France*, Paris, Librairie José Corti, 1965.

ROY, Claude. *Les soleils du romantisme*, coll. « Idées », Paris, Gallimard, 1974.

SOT, Michel, et autres. *Le Moyen Âge. Histoire culturelle de la France – 1*, coll. « Points/Histoire », Paris, Seuil, 2005.

STAROBINSKI, Jean. *Le remède dans le mal. Critique et légitimation de l'artifice à l'âge des Lumières*, coll. « NRF essais », Paris, Gallimard, 1989.

WALTER, Henriette. *Le Français dans tous les sens*, coll. « Le livre de poche », Paris, Éditions Robert Laffont, 1988.

ZUBER, Roger, et Micheline CUÉNIN. *Le classicisme*, coll. « Histoire de la littérature française », Paris, Flammarion, 1998.

Sources des illustrations

Chapitre 1

Page 1: Electa/akg-images. *Pages 4 et 5*: British Library/akg-images. *Page 6*: akg-images. *Page 7*: Stefan Drechsel/akg-images. *Pages 10, 12 et 15*: akg-images. *Page 16*: Cliché: Bibliothèque nationale de France. *Le troubadour Guillaume IX d'Aquitaine – Chansonnier provençal* (XIIIe siècle). Manuscrits occidentaux, Français 12473, fol. 128. *Page 18*: Cliché: Bibliothèque nationale de France. *Page 19*: akg-images. *Page 24*: Cliché: Bibliothèque nationale de France. *Page 25*: akg-images. *Page 28*: Cliché: Bibliothèque nationale de France. *Pages 30 et 31*: British Library/akg-images.

Chapitre 2

Pages 33, 37 en bas, 39, 41, 43, 44, 46 et 47: akg-images. *Page 51 en haut*: Réunion des Musées nationaux/Art Resource, NY. *Page 52*: akg-images. *Page 53*: Réunion des Musées nationaux/Art Resource, NY. *Pages 54 et 55*: akg-images. *Page 56*: Jean-Paul Dumontier/akg-images. *Page 58*: Samuel Uhrdin/Château Skoklosters. *Page 59*: akg-images.

Chapitre 3

Page 61: akg-images. *Page 65*: Musée du Louvre, Paris/SuperStock. *Page 67*: SuperStock. *Pages 68, 69 et 70*: akg-images. *Page 71*: VISIOARS/akg-images. *Pages 72, 74, 75 et 76*: akg-images. *Page 77*: Cameraphoto/akg-images. *Pages 78, 81 et 82*: akg-images. *Page 85 en haut*: Réunion des Musées nationaux/Art Resource, NY. *Pages 85 en bas, 87 et 88*: akg-images. *Page 89*: Cliché: Musée Jean de La Fontaine. Reproduction interdite. *Pages 90, 91, 92 et 93*: akg-images.

Chapitre 4

Page 95: National Galleries of Scotland. *Page 98*: akg-images. *Page 99*: Cliché: Bibliothèque nationale de France. *Pages 101, 102, 103, 105, 107, 108, 110 en haut et 112*: akg-images. *Page 110 en bas*: Cliché: Bibliothèque nationale de France. *Page 113*: Stefano Bianchetti/Corbis. *Page 114*: akg-images. *Page 115*: Michael Nicholson/Corbis. *Page 117*: Stefano Bianchetti/Corbis. *Page 119*: Leonard de Selva/Corbis.

Chapitre 5

Page 121: Réunion des Musées nationaux/Art Resource, NY. *Page 124*: VISIOARS/akg-images. *Pages 126, 129, 130, 132, 136, 149 et 152*: akg-images. *Pages 134, 135 et 142*: Réunion des Musées nationaux/Art Resource, NY. *Pages 137, 138, 140, 141 et 144 en haut*: akg-images. *Page 144 en bas*: © Tate, Londres 2007. *Pages 146 et 147*: akg-images. *Page 150*: Bettmann/Corbis. *Page 153*: Collection: National Gallery; avec l'aimable autorisation des administrateurs de la National Gallery, Londres/Corbis. *Pages 154 et 155*: akg-images.

Quatrième de couverture

Annie-Claude Banville.

Index des auteurs

Les folios en caractères gras renvoient à un extrait d'une œuvre de l'auteur.

Index des œuvres

Les folios en caractères gras renvoient à un extrait de l'œuvre.